「すぐやる人」と「やれない人」の習慣

高校時代の偏差値30台の勉強嫌いが自分を変えてケンブリッジに入学、活躍できた理由

塚本 亮
tsukamoto ryo

はじめに

小学生のときは、学年で一番の肥満児で、まずスポーツがダメ。たくさんの塾を転々とするも、学年で一番成績が悪く、勉強もダメ。私は劣等感のかたまりでしかありませんでした。

その劣等感をずっと引きずった挙句、高校1年生のとき、全国模試で偏差値30台をとり、ついには新聞沙汰になった事件を起こしてしまいました。警察や裁判所にもお世話になってしまったのです。

「このままではダメだ」

そんな私でも、こんな気持ちはあったのです。

しかし、どうすればいいのかわかりません。苦手なことだらけで、自分に自信なんて持てるはずもありませんでした。

心理学では「学習性無力感」と言いますが、何度も何度も失敗を繰り返して、「どうせうまくはいかない」という思考パターンが染みついてしまいました。

「結果を出す人と、頑張っているのに結果が出ない人、何が違うのだろうか」

悩む日々が続いていました。

そんな私もあるとき、ビジネス書を読んで、気づいたことがあります。

それは、**成功している人、生産性の高い人は、「行動が早い」**ということです。

つまり、最初の一歩が違うのです。最初の一歩をいかに早く踏み出すかが、結果を出すための鍵だということです。

これは100m走のスタートに似ているな、とも思いました。

スタートで出遅れてしまうと、挽回するには強い精神力が必要となります。それに対し、いいスタートダッシュが切れたときは「やれそうな」気がしてきて、気分が乗ってきたことがあったからです。

行動を早めたことがきっかけになり、私は変われたように実感しています。

そしておそらく、このことは私がとり立てて言うことではなく、皆さん、気づかれていることでしょう。

しかし、「実際にすぐに行動に移せないから困っている」という人は、少なくないように思います。


「なぜ、動けないのか？」

いろいろと動けない原因はあるでしょうが、ここでひとつの典型例を挙げましょう。

それは、仕事や日常においても、

「もっとやる気を出さなきゃいけない」

「根性が足りない」

「みんなも頑張っているんだから」

という言葉を使って自分を動かそうとしていないだろうか、ということです。

確かに、このようないわゆる精神論も、ときには必要なのかもしれませんが、どうでしょう？

「それはわかってるけど、気分が乗らない」

というのがホンネではないでしょうか。

私は今でもそうです。

「やらなきゃ」の裏側にあるホンネは「やりたくない」なのです。

では、「すぐやる人」と「やれない人」の決定的な違いはなんでしょう。

気合いや意志力だけで、自分を動かしているのではない、というところです。「すぐやる人」は仕組みで自分を動かしています。

自分が動いてしまう仕組み作りがうまいのです。

私が考える、すぐやる方程式は、

意志×環境×感情

です。

もちろん、気合いや意志力を鍛えることも大事でしょう。

でも、それだけではなかなか動けないのが、人間です。

だから、**すぐやってしまう環境を作り、すぐやるための感情を作り出すことが大切になります。**


「私、追い込まれないとできないんです」

という声をよく耳にしますが、

「追い込まれたらできるのだから、自分を意志力で動かそうとするのではなく、自分を追い込める環境を探しましょう」

と答えます。大事なことは意志の強さではなく、

「やるか、やらないか」

だけなのです。


皆さんも、もし自分の意志の弱さを嘆いているとしたならば、きっと本書を読むことでその考えを１８０度変えることができるはずです。

本書では「すぐやる人」の50の習慣をご紹介しますが、これらは私がケンブリッジで研究した心理学をベースにしています。

また、それだけではなく、私の主宰するスクールで成果を出している人や今までに出会った「すぐやる人」たちに共通するものをまとめてみました。本書はとてもプラクティカルな内容となっています。

さらに、私も本書で「すぐやる人」の習慣をご紹介するだけでは、説得力に欠けると思い、本書で紹介している習慣を実際に試しました。

それはダイエットです。京都でスクールを経営する傍ら、各地で講義や講演をしながら2カ月で9キロの減量に成功することができました。

そして、本書の執筆も締め切りよりもかなり早く終わらせることができたのです。

「すぐやる」ことは、自分の人生をコントロールしている感覚を取り戻す最強のメソッドです。**すぐやる習慣を身につけることで見違えるほど、毎日をいきいきと過ごすことができるようになる**、と今なら言えます。

行動すること、それはあなたの人生に輝きを与えてくれる唯一の方法です。
何も難しく考える必要はありませんし、50の習慣のすべてを理解し、すべてを実行する必要もありません。できそうなものからどんどんチャレンジしてみることで、行動することが楽しくて仕方なくなり、毎日がもっともっと充実したものになるに違いありません。

2017年1月

塚本　亮

○もくじ　「すぐやる人」と「やれない人」の習慣

第2章 ▼▼▼ 自分を動かす編

第3章 ▼▼▼ 周囲を動かす編

第5章 ▼▼▼ 体調管理編

第7章 ▼▼▼ 行動編

◯カバーデザイン　OAK　小野光一

第1章

思考編

01

すぐやる人はラクに自分を動かし、やれない人は無理やり自分を動かそうとする。

ラクして楽しい人生を送れる道と、苦労しながらも楽しい人生が送れる道があるとしたら、あなたはどちらを選びますか？

私ならば間違いなく、ラクして楽しい人生を送れる道を選びます。本書を手にとってくださった皆さんもきっと同じだと思います。

人は苦しいことが嫌いです。面倒なことも当然嫌いです。

「できることならば避けたい。ラクできるものならばラクしたい」

これは自然なことであって、その気持ちを否定する必要はまずない、と理解してください。

その一方で、私たちは向上心を持っています。

「もっと素敵な自分でいたい。かっこいい自分でいたい。キレイな自分でいたい。もっと稼ぎたい。もっとおいしいものが食べたい」

ただ、ちょっと待ってください。より良い人生を送るためには、頑張らなきゃいけないと思っていませんか？

「すべての成功の鍵は行動だ」

これは皆さんもご存知のピカソの名言です。やはりいつの時代も成功の鍵は行動でしかありません。アクションを起こさずして、より良い人生は手に入らないものです。

ラクしたい自分と、より良い生活を手に入れたい自分。一見矛盾するような状況を両立させるためには、どのようにして自分を自由自在にあやつり、アクションさせるのかを考える必要があるのです。

この本のテーマは、「すぐやる人」と「やれない人」の習慣の違いを解説するということですが、**「すぐやる人」は自分を無理に動かそうとはしていません。むしろ、どうすればラクに自分を動かすことができるのかを知っています。**

一方で「やれない人」というのは、無理に自分を動かそうとして、失敗してしまいます。無理に自分を動かそうとすると、どうしても苦しいのです。エネルギーが必要なのです。そして、先ほども説明したように、心理学で言う「学習性無力感」という状態にハマってしまいます。

明日からダイエットしようと思ったのに、結局先延ばしの毎日。今度こそ余裕を持って仕事を終わらせようと思ったけど、結局最後に徹夜でギリギリ終わらせた……。

このようなことを繰り返していると、「やっぱり自分はダメ人間だ」「自分はなまけものだ」ということが自分の中に染みついてしまうようになります。これがまさに学習性無力感です。

すると、ますます行動ができなくなってしまいます。ピカソの言う「成功の鍵を諦めてしまう」ことになってしまうのです。

かつての私がまさにそうでした。小学生のときから勉強もスポーツも苦手。夜遅くまで塾に通ってもただやらされているだけ。高校1年生のときには全国模試で偏差値30台で、全国紙に掲載されてしまうほどの事件も起こしてしまうような落ちこぼれでした。

まさに「自分はダメ人間で、何をやってもムダだ」としか感じることができなかったのです。自分なりに頑張ってみようと、何度も何度もチャレンジするのですが、結局何もできないまま終わることの連続でした。

つまり、この項目で挙げた「やれない人」以外の何者でもなかったのです。

しかし、人は変わることができます。もしあなたが「自分はなまけものだ」と感じながらも、自分を変えたいと思うならば、知っておいて欲しい事実があります。

無理に自分を動かそうとすればするほど、蟻地獄のようなワナにはまっていってしまうということです。

一方、「すぐやる人」は自分を動かす勝ちパターンを持っています。今すぐ、無理に自分を動かさなければならないという固定観念を捨てて、自分が行動してしまう習慣を身につけることに集中してみましょう。

01 すぐやる人は、自分を動かす仕組みを作ろうと考える!

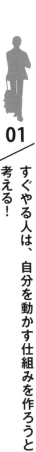

02

すぐやる人は頭の中を空っぽにし、やれない人は頭の中で処理しようとする。

スマホやタブレットなどのデジタルデバイスの普及により、作業効率が劇的に向上しました。ましてや様々なアプリなどのツールを効果的に使えば使うほど、なんでもできてしまうような気分になれます。

しかし、「すぐやる人」は、なんでもデジタルツールを使って、こなそうとは考えません。アナログツールとデジタルツールを上手に使い分けます。

思いついたことやアイデアをいきなりパソコンなどに落とし込むのではなく、ペンと紙を積極的に活用して、キーボードではなくペンを走らせます。

特に、今のように情報があふれ、次から次へとやらなきゃいけないことが降って湧いてくるような時代では、効果的です。

たとえば、「あれもやらなきゃ、これもやらなきゃ」という状況だと、脳のパフォーマンスが落ちます。次はあれだこれだ、と頭の中をよぎった瞬間、集中力を欠いてしまいませんか？

これは、脳内のワーキングメモリに負荷がかかりすぎて、ダウンしている状態と言ってもいいでしょう。

パソコンやスマホでも同じです。たくさんのアプリを同時に開いたりしていたら、負荷がかかりすぎてダウンしてしまったり、処理速度が低下してしまったりします。この状態だと、やらなきゃいけないことを進めるだけの余裕がありません。

「すぐやる人」は、**頭の中を空っぽにすることで、脳への負荷を減らしています。**そうすることで本来すべきことにエネルギーを集中させるだけの余裕が持てるようになるからです。

特に集中して取り組まないといけないようなことの場合は、それだけの余裕＝スペースを脳内に生み出す必要があります。

では、どうすれば、頭の中を空っぽにできるのでしょうか？

頭の中にあることを紙に書き出すことで、それが可能になります。書き出しておけば、ひとつのタスクが終わった段階で、また他のタスクについて考えることができますので、ひとつのタスクに集中することができ、迷いなく行動を起こすことができるようになります。頭をよぎったら書き出す――。頭には置いておかない、ということです。

そのため、私は常にペンとメモを携帯しています。日々思ったことや感じたことをどんどん書き出していきます。

何かアイデアを出したいけれどスムーズにいかない場合など、ありませんか。そのときはオフィス近くのカフェで、紙とペンだけを持ち込んで考えます。

思いつくままにペンを走らせてみると、良いアイデアが浮かんでくるものです。論理的に考えをまとめることを頭の中で完結できる人はそう多くないでしょう。

一方、「やれない人」は、頭の力を信じすぎていますので、いろんなことを頭の中だけで解決しようとします。つまり、頭の中を一度空っぽにしようとしないので、最初はうま

02 すぐやる人は、書き出すことで頭の中を整理している！

く進んでも、いざ行き詰まったら、脳が一気にダウンしてしまうのです。簡単に言えば、挫折するリスクが高まると言っていいでしょう。

紙に書き出すことは、時間がかかることのように感じます。しかし、書き出すことで頭の中を空っぽにすることができ、物事が整理できますので、思いのほか時間はかかりません。

まずは頭に浮かぶことをどんどん書き出しましょう。落書きをするイメージです。きれいな文章や図などを書こうとせず、頭に浮かんだことをまずどんどん書き出してみるのです。それだけで、脳内はすっきりと整理されていきます。

感じたことや考えていることをどんどん書き出すことで、自分の頭の中を客観視することができますので、もやもやとしたものを整理することができるのです。

03 すぐやる人はＨＫＴをうまく味方につけ、やれない人は追い込みすぎてしまう。

行動を妨げるものの1つに、自力本願というものがあります。パッと聞くと、自力本願はいい心構えのように、見えるかもしれません。

しかし、精神論で自力本願になりすぎると、かえって行動ができなくなるのです。よほど精神が強い人ならば、なんの問題もないでしょう。

逆に、私のような人間には、**仕組みで自分を動かすほうがよほどラク**なのです。

では、どうすれば、仕組みで自分を動かすことができるのでしょうか?

ひと言で言えば、自分の持つ資源の活用がカギとなります。

精神力ではなく、自分の資源で自分を動かす仕組みを作り上げることに、目を向けてみましょう。

まず、自分を動かす仕組みを構築するためには、行動に具体性を持たせなければなりません。すべきことが漠然としていると、行動を起こしづらくなります。

だから、行動を起こす前に少し、いわゆる「ＨＫＴ」について考えてみるということです。

Ｈ（ヒト）、Ｋ（カネ）、Ｔ（タイム）です。

これらの資源の組み合わせがとても重要で、それによって自分が動いてしまう強力な仕組みを作ることすら、できるようになります。

まず、**「すぐやる人」はヒトをうまく巻き込みます**。

たとえば、新しく習い事を始めようと思ったら、習い事を申し込む前に、同じ習い事をすでにしている人や経験者にアドバイスを求めます。ＳＮＳで「英会話始めたい」とポストすれば、「今、習っている先生、とてもいいから、今度一緒にきてみる？」となることもあるでしょう。

そうすれば１人で「どこがいいのだろう」と悩んでいるよりも実現性が高まります。その理由は、人は悩んでいるうちに意識がどんどん薄れていってしまう傾向があるからです。それに人の目もあるから、なかなかやめられなくなるでしょう。


お金もやはり仕組み作りに影響を及ぼします。

たとえば、ダイエットを例にとってみれば、わかりやすいでしょう。

ダイエットに割けるお金がたくさんあるのならば、パーソナルトレーナーをつければ、それだけ効果は上げやすいでしょう。

お金があまりないのであれば、近所をジョギングするかもしれません。それならば知り合いでジョギング仲間を見つければ、実現しやすくなるでしょう。

「今度こそダイエット成功するぞ！」と思っても、それに**どれほどのお金が割けるのかによって、とるべきアクションも変わってきます**。行動が漠然としていて具体性がないと、先延ばしが慢性化してしまいます。


そして、「すぐやる人」は具体的で、時間への意識が高いので、**いつやるのかを即座に明確に決めてしまいます**。少し俯瞰して、どれくらいの時間をかければ、目の前の課題は終わるのかを検討してみるのです。そうすることで、今の一歩が確かな一歩であることがわかるので行動に移せます。

人は終わりの見えていないものへはなかなか行動を起こしにくいものです。出口の見えないトンネルをひたすら歩くことは誰しも不安でいっぱいです。出口から射し込む光が見えたら、「よし、あそこまで頑張ればいいのだ」と一歩一歩前進するエネルギーが湧いてきます。

「すぐやる人」はこれらの貴重な資源をうまく活用することによって、行動する仕組みを作ります。一方で「やれない人」は、資源の活用があまりうまくないか、資源があることすら、見えていない場合だってあるのです。

自力本願ですべて思うままにいくのであれば、それでもかまいません。

私のようななまけものでも「すぐやる人」でいるためには、資源を自分を動かすエネルギーに変えることが必要となってくるのです。

03 すぐやる人は、人をうまく巻き込み、お金と時間に対し、明確な基準を持っている！

04 すぐやる人は明日を疑い、やれない人は明日を信じる。

皆さんはこの本を買うとき、どんな気持ちで買いましたか？

書店にせよ、ネット通販にせよ、買うときには、「お、面白そうだ。読んでみたい」と思って、買ってくださったと思います。

買ってから読むまでは、すぐでしたか？

それとも、一度棚に差してしまったけど、「あ、これ忘れてた。読まなきゃ」と、思い出して読んでくださっているのでしょうか？

モチベーションとは、魚のようなものです。獲れたてが一番おいしいのと同じで、モチベーションにも鮮度があります。**「やりたい！」と思った瞬間がモチベーションの鮮度のピーク**なのです。

つまり、本を買う瞬間が一番読みたい気持ちが高いわけです。もし、家に帰って次の日まで袋からも出さず、そのまま置いておくと、どうなるでしょうか。なかなか読むチャンスがやってこなくなってしまう、といったような経験、皆さんにもあるかと思います。

私も学生だった頃によく経験しました。

書店に行って、参考書を何冊か買って、帰るまではいいのですが、問題はそのあとです。「明日から始めよう」と思って、その日のうちに手をつけなかったため、気づいた頃には本棚の奥にその参考書をしまいこんでいました。本を購入することで満足してしまうんですよね。

もちろん、それでは良い成果を生み出すことには繋がりません。これは「やれない人」の典型と考えてもらえればと思います。

「やれない人」は、明日も高いモチベーションを維持できると思い込んでしまって、また明日やればいい、また明日から始めようというように、自分を納得させているのです。

しかし、ふとしたときに振り返ってみると、やってなかったことに気づき、その自分に

「ダメな自分」というレッテルを貼ることになるのです。

そのときにはもうモチベーションが大きく減少していますので、そこからもう一度モチベーションを上げる、つまりその鮮度を取り戻すことは容易ではありません。

一方、「すぐやる人」は、未来を信じません。「明日から」とか「いつか」という考えは、モチベーションの鮮度を奪っていくだけだと知っているからです。そして、その「いつか」はやってこないと思っているのです。

だから、今何かのアクションをとらないと気が済まないのです。

『トム・ソーヤーの冒険』の著者、マーク・トウェインは、こんなことを言っています。

「The secret of getting ahead is getting started.（前進するための秘訣は始めることだ）」

「すぐやる人」は、すぐやることでモチベーションを高めることに成功しています。

では、なぜすぐやることで、モチベーションを高めることができるのでしょうか。

様々な要因がありますが、そのひとつに「ツァイガルニック効果」が挙げられます。

ツァイガルニック効果とは、「人間は達成できなかった物事や、中断・停滞している物事に対して、より強い記憶や印象を持つ」という心理学的な現象です。

小さな一歩でもアクションを起こすことで、「やり残し感」のようなものが記憶に残ります。そして「完成させたい」という欲求を湧き立たせることに繋がっていきます。

その効果を利用しているのが、テレビドラマです。いつも、いいシーンで話を終わらせることによって、続きが見たくなる心理を掻き立てているのです。

モチベーションの鮮度が高いうちに、0を1に変えておくことで、より強い意識を持てるようになり、行動が続いていくきっかけを与えてくれるのです。

04 すぐやる人は、明日になるとモチベーションが落ちることを知っている！

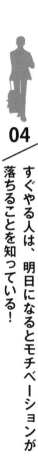

05 すぐやる人はツーウェイ思考、やれない人はノーウェイ思考。

「逆算思考」と「積み上げ思考」。

聞いたことがある人も多いのではないでしょうか？

逆算思考とは、まずゴール設定をして、そこに到達するためには、今何をして、どのように進めていくのかを決めて、そのプランに沿って行動していくという考え方です。

積み上げ思考は、逆算思考と逆のアプローチです。どこまでいけるかはわからないけれど、今できることを精一杯やるという考え方です。

確かに、ビジネスやプライベートにおいて、逆算思考は多くのメリットを私たちにもたらしてくれます。逆算思考とは、料理のようなものです。作りたいもの、つまり作りたい未来が明確に決まっているのです。とりあえずいろいろ混ぜて炒めたら、こんなものができた、というわけではありません。

逆算思考には、到達したいゴールがあり、そこに向かってアクションを積み重ねていくので、道筋が明確で、行動にいつも基準があります。

たとえば、カレーを作るのならば、どんな具材が必要で、それらをどう準備して、どう調理して、どういう順番で鍋に入れていくかなどを考えます。

また、ゴールを明確にすることは、やらないことも決めることですので、ムダもありません。東京から京都へ向かうときに、わざわざ仙台に行く人はいません。それと同じです。逆算思考をすることで、基準が持てるので、行動が具体的になります。

特にビジネスでは、「何を成し遂げる必要があるか」といったゴールと、その締め切りが明確に定められていることが多いので、逆算思考はとても有効でしょう。

「これは今やらないと間に合わないぞ」ということもわかります。

「やれない人」は逆算思考を持っていません。ゴールを考えられませんので、「なんとなく頑張れるところまで頑張りました」というように考えがちです。

ただ一方で「すぐやる人」は積み上げ思考も否定せず、ときに必要だとも考えています。どんなときに有効かというと、目標が設定しにくいときです。

自分自身での夢を持とうとしたり、目標を設定しようとしたりしても、何がしたいかわからない人が最近増えています。彼らの気持ちを考えれば、わかります。

夢や目標を無理に探して持とうとしても、気持ちは乗らないでしょう。今の時代はかつてないほど選択肢にあふれ、どの扉の向こうに、心から生きていることの喜びを感じている自分がいるのか、選択に迷ってしまいます。

そこで、「将来何に繋がっていくか今はわからないけど、やってみたいからやってみる」という選択肢は持っておきたいものです。

スティーブ・ジョブズが大学を中退して書道を始めたのは、美しいフォントを生み出すためではありませんでした。しかし、書道に惚れて始めた先に待っていたのが、Ｍａｃの美しいフォントだったのです。

人生に芸術性をもたらすのは、「やってみたい」と思う純粋な心かもしれません。

心理学では「内的動機づけ」とも言いますが、「好きこそものの上手なれ」ということわざのように、「やってみたい」「楽しい」という気持ちも大切にしたいものです。

「すぐやる人」は**目標設定したものだけに取り組むのではなく、自分の気持ちに素直なので、興味を持ったものにはアクティブに取り組みます。**

私もかつては逆算思考が重要だと思っていました。

しかし、海外に行き、「やりたいことをやらないなんて、何のために生きているのか」という考えに触れたとき、自分は自分の気持ちに素直にならずに追い込み、焦っていたことに気づきました。追い込みすぎて何もしたくない自分がいたのです。

逆算思考はゴールから考える思考法で、積み上げ思考は現時点からどんどん歩いていく思考法ですので、逆の考え方です。どちらかが重要なのではなく、どちらも使い分けていきたいものですね。

05 すぐやる人は、スタートからもゴールからも考えられる！

06 すぐやる人は考えるために行動し、やれない人は行動するために考える。

考えているだけでは、物事は何も進まない――。

これはまさに「すぐやる人」の根っこにある考え方のひとつです。

だからと言って、考えることをおろそかにするわけではありません。

事も人生もうまくはいきません。よく考えた者だけが成功するのは、言うまでもないことです。皆さんもご存知のことでしょう。

何も考えずに仕

ここで大切なことは、考えることの重要性をわかっているからこそ、まずはアクションを起こすということなのです。**本当に考えるために、行動しなければならない**と言いかえられます。

これが「すぐやる人」に共通した思考パターンです。行動するために、考えるのではなく、あれこれ考える前に、まず行動してみようということです。

たとえば、サッカーのボールを蹴ったことがない人が、いくら本を読んだりしながら蹴り方について考えても、それではうまくは蹴れません。実際に蹴ってみれば、どうすればもっとうまく蹴れるのかを考えることができるようになるものです。

それにもかかわらず「やれない人」は「あぁだ、こうだ」と考えて、理屈を言うだけで何も行動しません。

もちろん決断し、行動を起こすことには様々なリスクが伴います。だからこそ、考えるために、まず行動しましょう。考えるための行動を起こします。

大きく動く必要はありません。小さく動けばいいのです。軽い気持ちで試してみよう、くらいのもので、いいのです。この**小さな実験は、収集した二次情報よりも極めて重要な**のです。

つまりPDCAは小さなDoからすべてが始まります。

小さくてもいいから、まず初動を起こしてみる（Do）。そうすると何かしらの反応が返ってくるので、振り返りをする（Check）。それから改善策を練る（Action）。この繰り返しが大切なのです。

心理学の観点からも、これは非常に効果のあることだと考えられます。行動することで、現実の壁からは何かしらの反応が返ってきます。この**フィードバックこそが強力なモチベーションを作る**ことが、多数の研究からもわかっています。

現実という壁にボールを投げたとき、それは思った方向と違う方向に跳ねるかもしれません。

でも、それが現実だとしたら、そこから学ぶことは、やってみた人にしかできないことです。やってない人にはわからないことなので、つまり大きなチャンスなのです。

ある世界規模のビジネススクールの担当者に聞いた話ですが、そのスクールが開催するビジネスプランコンテストには世界中から参加者が集まります。

でも、日本人はほとんど参加しません。良いプランができたら応募しようと考えているからでしょうか。

一方、他の国の人たちは、とりあえず応募してみる、なのです。応募したら必然的に良いプランを考えなきゃいけなくなります。「せっかく高い思考レベルを持っている日本人が応募してこないことはとても残念だ」と仰っていたことは、今でも印象に残っています。もったいないですね。

皆さんも考えることに捉われすぎているかもしれません。小さな実験からすべてが始まります。

皆さんも知っているように、現実は思ったようには進まないことだらけです。だから小さなアクションをまず起こすことで、考えの質を高めましょう。

06 すぐやる人は、小さなアクションでもいいから、行動することの意義を知っている！

07

すぐやる人は9000回の負けを知り、やれない人は全勝を目指す。

「僕はこれまで9000本以上のシュートを外してきた。これまで300試合近くに負けてきた。決勝シュートを任されながら、外したことが26回ある。人生で何度も何度も失敗してきた。だからこそ、こうして成功しているんだ」

これはあの有名なマイケル・ジョーダンの名言です。

誰でも失敗はしたくはないものです。失敗か成功かどちらか選べと言われれば、誰しも間違いなく成功を選ぶでしょう。

ただ、失敗への恐れが成功への道を奪っている可能性は、十分にあります。

「すぐやる人」はリスクテイカーです。リスクを怖いと感じないわけではありません。リスクを感じながらも、1つひとつ目の前の課題と真摯に向き合い、チャレンジします。

シュートは打たなければ入らないのです。

エジソンは電球を発明したときに「私は失敗したことがない。ただ1万通りの、うまくいかない方法を見つけただけだ」と言った話はあまりにも有名ですが、どの時代にも成功者はみな失敗を語ります。

「やれない人」は成功するためには失敗も許されないと考えている一方で、自らの信じた道を突き進んだ「すぐやる人」たちは失敗というつまずきを災難のようには考えません。その経験からたくさんのことを学べばよいと割り切っているものなのです。

私は、**ミスや失敗の数だけ誰かの役に立てることが増える**と思っています。

私もかつてはたくさんつまずいてきました。高校生のときに、初めて全国紙に取り上げられてしまうような事件を起こし、警察や裁判所のお世話にもなるなんて思ってもみませんでした。うまくいかないことばかりで、周りに迷惑をかけることでしか自分の存在を示せないと感じていたものです。

その過去があり、多くの人々に迷惑をかけてしまったことは、もちろん申し訳ないことだと今でも感じています。

しかし、過去は取り戻せないわけですが、未来は変えられるのです。同じように未来が見えなくて、もがいている人たちの気持ちが誰よりもわかります。そして、経験してきたからこそ、気持ちを理解することもできますし、具体的な助言をすることもできます。

つまずきや失敗をしたら改善すればいいのです。うまく改善することができれば、同じようなことでつまずき、悩んでいる人を助けることができるかもしれないのです。

だから、こうだと決めてチャレンジして失敗してしまっても、私は何も恥ずかしいとは感じません。**必ずその失敗があって良かったと思える日が来ます。**うまくいかない方法がわかったという学びがあるから、同じ過ちを繰り返さないようにすれば大きく前進できるのです。

失敗への恐れはあなたを麻痺させます。失敗は誰だって怖い。特にこの失敗に対する恐怖心は、私たち日本人にとって「先延ばしする」傾向の大きな原因となっているのです。

短期的に見れば失敗は好ましいものではないでしょう。

しかし、これだけ多数の「すぐやってきた」成功者たちが、口を揃えて過去の失敗について語るのには、必ず理由があると思いませんか。

もちろん、負けない勝負はあなたに安定と安心をもたらすので、負けない勝負を捨てる必要はないでしょう。

ただ、負けない勝負だけではどうしても動きが遅くなってしまって、後手を踏んでしまいます。それは長期的に見たときには大きな損失となっていることでしょう。

不安を感じられるということは、少なくとも未来がある証なのです。小さな失敗をたくさん楽しんでみましょう。

07 すぐやる人は、小さな失敗を大きな成功に結びつける！

08

すぐやる人は目の前のことに集中し、やれない人は結果ばかりを気にする。

「もし今日が人生最後の日だとしたら、今やろうとしていることは本当に自分のやりたいことだろうか？」

これはスティーブ・ジョブズが残した名言ですが、「すぐやる人」というのは「今」というものを、過去よりも未来よりも大切にしています。人生は今、この瞬間に目の前で起きていることでしかなく、誰にも未来は保証されていないからです。だから、目の前のことに全力を注ぎます。

一方で、「やれない人」は未来に待つ結果ばかりを意識しすぎるあまり、行動ができなくなってしまいます。「うまくいかなかったらどうしよう」と、自分でコントロールできない成果というものに意識を注ぎすぎるあまり、行動ができなくなっていませんか？

成果は自分で決めることができません。仕事だと相手がいて、様々な要素が複雑に絡み合っています。こちらがどれほど頑張ったとしても、相手がそれを受け入れてくれるとは、限りません。

だからと言って、投げ出していては当然成果は得られません。当たるか、当たらないかは誰にもわかりませんが、宝くじは買わない限り当たることはありえないのです。そのくじを買うという選択と行動は、今、しかできません。

もちろん、過去にとらわれるのは、よくありません。過去の栄光にすがってしまうのは、今の自分がそれ以上のものではないからです。つまり、現状に満足できていない証です。そして私たちは、未来を語ることによって、生きる勇気が湧いてきます。

しかし、遠くばかりを見ていると、足元の小石につまずいてしまいます。

その未来も今という瞬間の積み重ねでしかありません。未来を描き、未来を語ることがあっても、今この瞬間にどれだけ意識を向けられるか、目の前のリアルと向き合うことができるかが重要なのです。

「Seize the day.（今を生きろ）」

この言葉をケンブリッジにいた頃、アメリカ人のジョー先生からいただきました。ちょうどケンブリッジへの受験を控え、本当に合格できるのかどうかに不安を感じていたとき、その言葉を聞いて、ハッとしたものです。受験までに残された日数の毎日を全力で取り組むしか選択肢はないことを、忘れてしまっていたのでした。


私は企業で英語プレゼンの研修などをするとき、受講生に最後、幹部の前でプレゼン発表をお願いしています。発表が近づいてくると誰でも緊張感が高まります。今後のキャリアに直結してくるからです。私にもその緊張感がひしひしと伝わってきます。

本番で思った以上のパフォーマンスを出せる人と、そうでない人、何が大きく違うかというと、気持ちの持ち方です。

緊張感が高まってくるのは皆さん同じで、そこで成果を気にして、「失敗したらどうしよう」という気持ちが頭をよぎるか、今自分にできることに意識を集中させられるか、その違いはとても大きいです。

今に集中できる人は、いい意味で成果を諦めています。できることを精一杯やることに意識が向いているからです。成果はそこについてくるものだということです。

だから、成果という未来に不安を感じて、麻痺してしまうことがありません。目の前のことを「すぐやる人」なのです。

毎日、今の自分よりも１％成長した自分になることを繰り返していくと、数値上３６５日後、つまり１年後には約38倍の自分に成長することができます。１・01×１・01を３６５回繰り返せば37・８になるからです。自転車の漕ぎ始めと同じで、最初は大きな変化が出ないものですが、そこでどれだけ全力を注げるかが１年後に大きな差を生みます。

未来への不安を感じて身動きがとれなくなったときこそ、目の前にあるもの、あなたの周りにあるものに意識を向けてみましょう。現状を打開する方法は、「今」にしかないはずです。

08 すぐやる人は、今この瞬間を何より大事にする！

第2章

自分を動かす 編

09

すぐやる人は環境で自分を動かし、やれない人は誘惑に負けてしまう。

私たちは目で見た情報に最も影響を受けます。おいしいものを見たら我慢できなくなるように、目の前に大好きな食べ物があったら、食べたくて仕方なくなってしまうでしょう。何も意識していないのに唾液が分泌されます。

これは過去の「おいしかった」という体験からくる条件反射なので、テレビや雑誌などに関しても、同じく楽しかった経験が条件反射を生み出してしまうのです。

また、好きなものを目にしてしまうと、ドーパミンが一気に増えてしまって、衝動的になってしまうのです。

そのようなときに「やれない人」は、できないのは自分の意志が弱いからだと意志力にすべての責任を負わせてしまいがちです。

もちろん意志力が強く、どんな環境でも自分のすべきことをやるだけという強さがあれば素晴らしいことは、言うにおよびません。

そこで、自分の弱さに打ち勝たなければいけないと、自力で頑張ろうとした結果、たまたま目に止まったテレビや雑誌、スマホなどの誘惑に負けてしまい、ソファで寝そべり、自分の家やオフィスでも怠けてしまいます。こうして自分の弱さに自信を失ってしまうのです。

でも、よくよく考えてみれば、それは自然なことなのかもしれません。「やれない人」は、できない環境の中で頑張ろうとしているとも言えます。

一方で「すぐやる人」は、**意志力に頼らず誘惑そのものを遠ざけるほうがよほどラク**だと考えています。自分を動かすことのできる環境作りをする、ということです。

それか、**やるしかない環境に自分を置くこと**です。これは環境を作るよりも簡単なことかもしれません。

私はそれほど意志力が強くはないので、動きたくなる環境の中に自分を追い込むことを優先しています。特に自宅やオフィスでの気分が乗らないときは、近くにお気に入りのカフェを見つけておいて、そこで仕事をします。

私の場合は、アイデアを出したいときは野外テラス席のあるカフェに行き、集中力が必要なことに取り組むときには、落ち着いた雰囲気のカフェなどに行くと決めています。

実は、これにも理由があります。**開放感があるほうがクリエイティブになれ、天井が低く落ち着いた雰囲気のところのほうが集中力は高まる**ことが、心理学の研究でもわかっているからです。


特にケンブリッジの大学院に通っていたときは、課題に追われるような毎日だったので、毎日大学の図書館に足を運んでいました。

なぜ図書館へ行くのかというと、たくさんのクラスメイトに会うからです。英語を母国語とする人たちがそのように頑張っている環境で、自分がそれ以下の取り組みしかしていないと、当然ながら授業にはついていけるはずがありません。

それを感じるために図書館へ足を運びます。家でできることももちろんありますが、自分がやりたくなるようなトリガーのある環境に身を投じれば、自然とやるようになるものなのです。

09 すぐやる人は、意志の力に頼らない！

これだけ誘惑にあふれた社会なので、誘惑に打ち勝ってやろうとする気迫は大事なものと言えます。

しかし、**誘惑に勝つこと自体がエネルギーを無駄に消費してしまう**ことに繋がるのです。

もし、自宅やオフィスで頑張りたいのならば、誘惑されない環境をまずは作りましょう。

そのためにはモノを持たないこと、関係のないモノは徹底して処分してしまうことです。

このように、環境作りを頑張るか、環境がある場所に自分を置くかのどちらかを選択すれば、ラクに自分を動かせるかを考えましょう。

確かに意志力を磨いて自制することも大切ですが、やらなきゃいけないときに「すぐやれる」環境で自分を動かせば、もっとラクにアクションを起こしていけることを覚えておきましょう。

10 すぐやる人はまず小さな石を動かそうとし、やれない人は大きな石を動かそうとする。

サッカーでも野球でもどんなスポーツでも、いきなり試合はせずに、ウォーミングアップをします。ウォーミングアップをすることで体温を上げ、怪我を防ぎ、パフォーマンスを向上させます。

また、体温が上がると筋肉が伸びやすくなり、脳からの指令も酸素も届きやすくなるようです。

ところであなたは、仕事や勉強に取り組むとき、脳と心のウォーミングアップをしているでしょうか？

脳と心が温まっていない状態で、いきなり心が折れてしまいそうな負荷のかかることや難しいことから取りかかってしまうとつまずきやすくなってしまいます。

「すぐやる人」は、何かのタスクに取り組むときはいきなり苦手なものや難しいものか

これは試験にも同じことが言えます。私がいつも口を酸っぱくして言っていることのひとつが、「試験では順番に解くのではなく、解けそうなものから解きましょう」ということです。解けそうな問題から着手していくことで「できるぞ」と気持ちが乗ってきて、リズムとパフォーマンスが良くなるのです。

片付けも同じです。すぐに片付きそうなところをまず片付けると、リズムが生まれます。

私がジムに行くときも同じで、好きな部位から筋トレをすると今日も頑張れそうだということで勢いが生まれて他の部位も頑張れるようになるのです。

気分があまり乗らない日は特にこれが有効で、好きな部位だけでいいかと思っていても、そうしているうちに、せっかくだから、もっとやって帰ろうか、となってきます。

同じことをするのでも、**少し順番を変えるだけで心理的な負荷は変わってくる**ものです。

もしもあなたが、その順番を考えることを怠っているとしたら、非常にもったいないことです。

10／すぐやる人は、小さなことから取り組んで、弾みをつける！

11 すぐやる人は自分ともアポをとり、やれない人は他人とだけアポをとる。

皆さんはスケジュール帳に何を書いていますか?

もちろん仕事の予定や友人との予定はスケジュール帳で管理している人はとても多いことでしょう。「やれない人」はここで完結しているはずです。

一方で、自分との約束もスケジュール帳に落とし込んでいますか?

「たいていの成功者は他人が時間を浪費している間に先へ進む。これは私が長年、この眼で見てきたことである」

これはヘンリー・フォードの名言ですが、「すぐやる人」は常に時間を意識しています。

1年は365日。時間にすると8760時間ですが、その3分の1は睡眠にとられ、もうひとつの3分の1を仕事や学校などで消化するとなれば、あなたが自由に使える時間は残りの年間で２９２０時間となります。

その約３０００時間をいかに有効に活用して、未来を創り出すかということと向き合うかは、とても重要です。

私たちの時間に対する感覚というものは意外と曖昧なものです。コントロールできているように感じても、実に難しいものです。

特に面倒くさがり屋な私は、**しっかりと自分との予定を明確にしておかないと、ズルズルと怠けてしまう**のです。他人との約束は信用の問題でもあるので、強制力が働き、行動に移す確率は高いのですが、自分との約束には簡単に言い訳ができてしまうのです。だから可視化する必要があります。

私は、時間割を作成するようにしています。日曜日の夜に1週間の予定を作成しますが、そのときに仕事以外の時間帯を、緊急性は低いけれど、重要性が高いものへの時間を確保することを優先させます。

これは180ページにて、「すぐやる人」というのは「緊急性が高く重要性の高いもの」ばかりではなく、「緊急性は低いが重要性の高いもの」に取り組むことについても説明しますが、自分ともアポをとる習慣をつければ、どんどん実現できていきます。

特に自己投資の時間です。

自分を磨くためのインプットの時間を徹底して確保することができていますか？

仕事や外せない予定が決まったら、そこからまず自分への時間を抑えていませんか？

私の場合であれば、読書する、英語の勉強をする、ジムへ行く、セミナーに参加する、会いたい人に会う、整理整頓する、などの自己投資の時間をしっかりとスケジュールに落とし込んでいます。

自分ともアポを取ることを習慣づければ、今よりもさらに時間への意識が強くなるのです。そして、時間をコントロールできているという感覚は確かなモチベーションを生みます。スケジュール通りに物事が進んでいるときは、自分の内側からエネルギーがみなぎってくる感覚を覚えた経験があるでしょう。

忙しくて計画通りにいくか不安でも、とにかく計画だけは立ててみましょう。計画通りに進めることはとても有意義なことですが、**計画を立てることで、なぜ計画通りに進まなかったのかを分析することができる**のです。

「やらなきゃいけないことがあるのに、ついつい誘いに乗ってしまった」ということを客観的に把握することで、別の時間にそれを埋め合わせする意識が高まって、状況に流されてしまう可能性は低くなります。

アメリカの作家チャールズ・バクストンは「何をするにも時間は見つからないだろう。時間が欲しければ自分で作ることだ」と言っていますが、まさに時間は作ろうとしないと「いつもない」ものなのです。

命のかけらである時間を有意義に活用するために「すぐやる人」たちは、自分とのアポを優先しているのです。

11 すぐやる人は、自分を磨くための予定を入れている！

12 すぐやる人はダッシュキノコを食べ、やれない人は疲れた脳で午後を過ごす。

私たちの意志力というものは朝にピークを迎えて、2、3時間後から低下し始めます。簡単に言い換えれば、頑張ろうという気持ちは時間とともにどんどん低下していくということなのです。

これは自然なことなので、どうしようもない事実だと割り切ったほうがいいでしょう。

見出しの「ダッシュキノコ」と聞いてピンときた人は、きっとマリオカートで遊んだことがある人でしょう。人気レーシングゲームであるマリオカートでは、レース中にキノコをゲットすると、短期的ではありますが、一気に加速することができるのです。

「すぐやる人」は疲れた自分を加速させる方法を知っています。

ダッシュキノコのような、疲れてきたときでも1日を再加速させてくれる方法を見逃していませんか？ 実にもったいないことです。

ひとつめの方法は、「パワーナップをとる」ということです。パワーナップとは簡単に言えば、15分から20分程度の仮眠のことです。

ミシガン大学の認知心理学の研究でも、パワーナップによって私たちの意志力は回復することがわかっています。その効果は2～3時間続きます。

朝起きたときと同じほどの状態には戻りませんが、自分をコントロールする力が高まり、行動力が高まります。昼食後は眠くなってしまいますよね。それになんとか逆らったとしても、午後は頭が冴えない状態が続いていませんか？

私はほぼ毎日パワーナップをとるようにしています。このときは目覚ましをしっかりとセットしてから寝ます。30分以上寝てしまうと逆効果だからです。

思い出してみてください。学生だった頃、昼食後の授業は頭が重く、ついつい机の上で眠ってしまったことはありませんでしたか？ 私は、そのあとやけに頭がスッキリしていたことを今でもはっきりと覚えています。

このように、寝ると言ってもベッドで寝る必要はありません。椅子に座ったまま目を閉じているだけでも効果が得られます。

2つめの方法は「グリーンエクササイズ」です。緑や水を感じられる場所は回復を劇的に早める効果があります。

だから、緑の多い場所や、池や川など水を感じる場所の近くを5分から10分程度軽く散歩したり、ストレッチをしたりするだけで、脳の疲労は軽減されることがわかっています。

何も無理な運動をする必要はないですし、むしろ軽い運動のほうが効果は高いと言われています。

私の場合は脳に疲労を感じたときは京都の鴨川の近くを軽く散歩するようにしていますが、散歩のあとは脳がスッキリした感覚があり、また頑張れるのです。

3つめの方法は「軽めのシャワー」です。

しっかりとした入浴というよりは、汗を流すほどのシャワーを浴びると言ったほうが良いでしょう。時間にして5分以内が目安です。

パワーナップとグリーンエクササイズに比べると効果は長続きしませんが、夜はお風呂に浸からず、軽めのシャワーを浴びたら意志力を少し回復させることができます。これは水の持つ効果が大きく、脳をリフレッシュさせてくれるようです。

このように、「すぐやる人」は**無理に意志力に逆らおうとせずに、どうすれば1日の中で自分をリフレッシュさせ、行動力を回復させるかを考え、実践しています。**

あなたもぜひ、実践してみてください。

12 すぐやる人は、意志力を回復させる術を手に入れている！

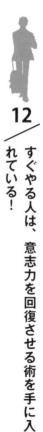

13 すぐやる人はまず1センチだけかじり、やれない人はあとで全部食べようとする。

私たちの日々の行動を分類する方法はたくさんありますが、中でも「自分で決めたこと」と「他人から依頼されたこと」の2つに行動を大別することは、「すぐやる」か「やらない」かを考えるときには、重要になってきます。

なぜなら、自分で決めたことには当然、当事者意識がありますが、他人からの依頼はそもそも当事者意識がないものだからです。だから、当事者意識を持ちにくいのは自然なことで、自分で決断したことよりも後回しにしてしまう可能性が高くなってしまいます。

だから、**物事を能動的に進めるためには、自分に当事者意識を持たせることが重要**なのです。

そのためには、依頼を引き受けたのならば、最初のちょっとした出だしを工夫することで当事者意識を持つことができるようになります。

心理学では「自己効力感」と言って、「自分にはできるのだ」という感覚を持ってないと、先延ばししてしまう可能性が高くなるというものです。

ノースカロライナ大学の教育心理学者デール・シュンクによれば、自己効力感を高めるための方法のひとつは「自分が目標を設定したもの」ですが、与えられたタスクは自分が設定した目標ではないはずです。

では、どうすれば、与えられたタスクを自分の目標に置き換えるのでしょうか。それには、「当事者意識を持てるようにしてみること」が重要になります。

依頼を引き受けたのならば、今やっていることがあっても、少しだけ手を止めて今すぐできる行動を少しとってみるのです。

今やっているタスクを中断すれば、中途半端になってしまうことを懸念するかもしれません。

しかし、先にも紹介しましたが、認知心理学では「ツァイガルニック効果」と言って、未完了の課題についての記憶は、完了した課題についての記憶に比べて頭に残りやすいと言われています。

ドラマはいつも「ここからが気になる！」というところで、「次に続く」となります。これはまさにツァイガルニック効果の応用例です。未完のものは記憶に残りやすいものです。

だから、今やっていることを一時中断しても、意識の中からそれが消え去ることはあまりないので安心してください。

そして、依頼を引き受けたら、少し手を止めて、依頼されたものに少しだけ手をつけてみることをおすすめします。

どういう計画なら、きちんとその依頼を成し遂げることができるかといったスケジュールを立ててみることでもいいでしょう。他人を巻き込む必要があるならば、早速連絡を入れてみるのも手です。逆算して自分のアクションを具体的に想定して、疑問点を洗い出してみてもいいでしょう。

疑問点は早めに質問して解消しておかないと行動に具体性が出ません。モヤモヤしたままだと自分でコントロールできている感覚が減ってしまい、当事者意識も薄くなってしまいます。

そのままダラダラと続けてしまうと、中途半端なマルチタスクとなりかねません。5分以内と時間を区切って手をつけるようにします。時間の制限を持たないとダラダラとなりますので、ここでも時間制限を設けることで瞬発力と集中力を高めたいものです。

「すぐやる人」は、いかに**他人からの依頼についても、自分に当事者意識を持たせるか**と考えています。だから彼らは相手の期待値を少し上回ることもできますし、信頼を勝ち取ることができるので好循環が生まれていくのです。

依頼を引き受けたときこそ出だしが重要。5分以内にできることを探し、少し手をつけておくだけといった工夫で大きな違いを生み出していきましょう。

13 すぐやる人は、当事者意識を大きくする仕掛けを持っている！

14 すぐやる人は毎日カバンを空っぽにし、やれない人は荷物を入れっぱなしにする。

仕事や学校から家に帰ったら、カバンはどうしていますか?
ここにも「すぐやる人」と「やれない人」の差が現れます。

「すぐやる人」はカバンの中を毎日整理する習慣を持っています。なぜなら、先延ばしにしてしまう原因のひとつは、モノがきちんと整理されていないことにあるからです。
往々にして、**ものが整理されていない状態ならば、頭の中も整理されていない状態であるといっても、過言ではありません。**どこに何があるのかをはっきりと把握できていないため、もの探しに多くの時間を使っている人も少なくありません。

たとえば、書類を見直そうと思って、その書類を探すことに時間がかかってしまうと、それだけで疲れてしまいます。ものを探すことは時間を奪っていくだけでなく、やる気やエネルギーも奪っていくのです。
もう少し大きく言えば、ものを持つということは、時間とエネルギーをあなたから奪うということなのです。ものが増えれば増えるほど、ものを管理しなければいけない時間も比例して増えていきます。

せっかく「よし、やるぞ！」と思っても、一歩踏み出すまでに時間がかかってしまうと、「また明日でいいや」となってしまいませんか？ それ以外にも、書類を取り出そうとしたときにふと目に入った別の書類に気をとられてしまって本来やろうと思っていたことができなかった、ということにも繋がります。片付けをしているときに目に入ったアルバムを取り出して片付けが進まなくなってしまうのと同じ原理です。

「すぐやる人」は帰宅したら毎日、書類や荷物をカバンの中から出し、必要なものはどこの定位置に戻すかを決めています。そうすることで、どこに何があるのか、何が必要で何が必要でないか、を毎日整理することができるので、頭の中もすっきり整理された状態に保つことができます。

また日々、書類はどんどん増えていきます。だから、毎日カバンから書類を取り出し、本当に必要なものとそうでないものに分けて、必要でないものはばっさりと処分します。

私の場合は、3つに分けるようにして、それぞれのルールを決めています。

ひとつめは、今重要なもの。これはしっかりとフォルダを分けて整理して保存します。明日必要であれば明日持っていけるように準備をしておきます。

2つめは、重要だけど今すぐ必要でないもの。これはスキャナーでパソコンに取り込み、Dropbox や evernote などのクラウドサービスに保存します。原本はよほど重要度が高いもの以外は捨てます。

3つめはそれほど重要ではないもの。もしかしたら必要になるかもしれないと感じるものはスマホで写真を撮って保存しておきます。もちろん原本は処分します。

このように分類するためのマイルールを持って書類などを整理する習慣をつけておきましょう。そうすれば、必要なときに必要なものがスッと取り出せるので余計な心配をしなくてすみますし、スピードも必然的に速くなります。こうして「すぐやる人」は「すぐやれる必然」を作り出しているのです。

モノを持つことはそもそも脳に大きなストレスを与えます。これほど様々な情報やモノにあふれた時代だからこそ、Less is moreで、モノを持たないことはあなたの毎日を豊かにしてくれます。そのためには、整理する基準を習慣化しておきたいのです。その中でも重要なのは毎日のカバンの整理なのです。

できれば財布の中も整理する習慣もつけておきたいところです。

毎日カバンから取り出し、整理していますか？

不要なレシートやクーポンなどでぐちゃぐちゃになっていると、当然お金への感覚も鈍ってしまい、計画性のない浪費に繋がってしまうリスクが高まります。

毎晩カバンを空っぽにすることは、心と頭の整理をしていることと同じなのです。今すぐカバンの中を整理してみましょう。きっとカバンとともに心も軽くなるはずです。

14 すぐやる人は、身近なものを整理することで、頭に余裕を生み出している！

15 すぐやる人は抵抗を歓迎し、やれない人は外野の声につぶされる。

あなたが何か新しいことを始めようとするとき、大きな夢や期待を胸に抱いていることと思います。

しかし、こう言われたことはないですか？

「そんなの無理だよ」

「うまくいくはずがないさ」

何か新しいことや未知の領域に挑戦する場合は、特に親や友人など周りから否定的な声がたくさん投げかけられます。「やめておいたほうがいいかな」と、周りの否定的な意見は私たちの行動力を低下させる原因となることがあります。

特に、多くの人は新しいことへのチャレンジを歓迎しません。「現状維持バイアス」と言って、わざわざ毎日をリスクにさらしてまでチャレンジなんてしたくありません。未知なるものや未体験のものを受け入れることよりも、現状を維持をしていたほうが良い、と思う心理状態を指します。

つまり、今のままが一番ラク、なのです。

よく考えてみてください。あなたがこれからチャレンジしようとしたことに、否定的な意見を唱えた人はそれに挑戦してみたことがあるのでしょうか?

おそらく挑戦しないで意見だけを言っているのだ、と思われます。やったことがないから怖いのです。当然否定的な意見が増えます。

そして、人生においては成功よりも失敗のほうが多いものです。あなたが失敗すると彼らは「ほらね」「やめておいたほうが良いって言ったのに」と言うでしょう。

「やれない人」や「すぐに諦めてしまう人」は、周囲の否定的な意見を耳にすると、それだけで行動をやめてしまいます。リスクを耳にしただけで、それがどんどん自分の中で膨れ上がってしまいます。

一方で「すぐやる人」は、外野とはそもそも否定的なものだと知っていて、その抵抗をエネルギーに変えることができます。

だから、批判を歓迎します。批判を必要不可欠な要素だと捉えています。

それは、「すぐやる人」は批判の本質を理解しているからなのです。

アメリカ建築家・芸術家のマヤ・リンの名言で、私がとても大切にしている名言があります。

「To fly we have to have resistance.（飛ぶためには抵抗がなければならない）」

飛行機が飛び立つためには抵抗が必要です。向かい風があるおかげで飛び立つことができます。**あなたが批判という向かい風を感じるということは、飛び立つために必要な風が吹いている**ということなのです。

だから「すぐやる人」は批判に屈するどころか、批判を歓迎します。

本当にやる気があるかどうかを試してくれていたり、今まで気づかなかったことを気づかせてくれたりしている大切な存在だと捉えているものです。

私もかつては周りの否定的な声を受けると動揺し、簡単に物事を投げ出してしまっていました。

しかし、自分で意思決定し、自分の責任で行動します。たとえ、うまくいかなかったとしても**失敗は成功に不可欠なスパイスだから結果を素直に受け入れればそれでいい**と思えるようになったときから、行動への迷いが、うんと減りました。

周りがどう考えるかではなく、自分がどうしたいかに素直に生きる――。

誰しも変化は怖いものです。

周りの批判や反対を恐れていては何もできないし、たとえ批判や反対があったとしても自分の心に素直になってみましょう。

そして、周りからの向かい風を全身で受け止めてエネルギーに変えていきましょう。

15 すぐやる人は、まわりの批判を成長の糧にしている！

第3章

周囲を動かす 編

16 すぐやる人は人を楽しませ、やれない人は正論を押しつける。

「すぐやる人」は**人を楽しませることが好きなエンターテイナー**です。もちろん、それはタレントや芸能人の話ではありません。職種や年齢にかかわらず、とにかく人が喜ぶこと、楽しむことに対してのセンサーが敏感で、常にアンテナを張っています。

経営コンサルタントの小宮一慶さんは、「腰は低くアンテナは高く」と常に仰っていますが、「すぐやる人」はこれができています。中でも、人が喜ぶことへのアンテナがピンと立っています。

だから、「すぐやる人」は目のつけどころが絶妙です。相手を楽しませることを楽しんでいるということは、相手の視点を大切にしているからです。

ＵＳＪをＶ字回復させた立役者である森岡毅さんは、「お客様が喜ぶもの」と「お客様が喜ぶだろうと作る側が思っているもの」は必ずしも一致しないと仰っています。それに気づけたことがUSJのV字回復に繋がったのです。

私は、あのマイケル・ジャクソンの専属振付師で、『THIS IS IT』のディレクターでもあり、レディ・ガガやビヨンセなどの振付やステージ・プロデュースをしてきたトラヴィス・ペイン氏のイベントで、MC兼通訳をさせてもらったことがあります。

ペイン氏が会場に到着した瞬間からその凄さはわかりました。何よりも人を楽しませるためのセンサーが鋭いのです。彼が会場についた瞬間の一言が始まりでした。「ステージはどこだ」というところから始まり、「それならばこの照明はいらない」、「これはあっちに移動させてくれ」、「すべてがお客さんはどう感じるか」といった視点で徹底します。

そこに容赦はありません。要は目のつけどころなのです。相手がどんな視点でものを見ているかを瞬時に判断するセンサーが全開なのです。

すべてがエンターテイメントなのです。「すぐやる人」はエンターテイナーです。人を喜ばせたり、楽しませることを心から楽しんでいます。だから、人に尊敬され、人から愛されるのです。

一方で、「やれない人」は正論を振りかざしたがります。自分の言っていることは正しいのだから、周りが柔軟に対応しろということです。

正論は正しいことなのかもしれませんが、人間は感情の生き物であることを忘れてはいけません。ロボットならばそれで通るのだと思いますが、人間はロボットではないのです。

「すぐやる人」に共通するのは、人を動かすということ、人を巻き込むのがうまいということです。もう少し雑に言えば、人たらしと言ってもいいかもしれません。

だから、自分の考える正論を押しつけるのではなく、相手の視点にアンテナを張ります。古代ギリシアの哲学者エピクテトスは「神は人間にひとつの舌と、ふたつの耳を与えた。しゃべることの2倍多く聞けということだ」と言っています。

人を喜ばせる人たちに共通することがわかりました。人の話に真剣に耳を傾けるということだったのです。人の話を真剣に聞くことがラポール（信頼関係）を築くための最高の方法ですが、それを狙ってやっているのではなく、話をしっかりと聞くことが相手を尊重することであり、喜ばせる方法だからでしょう。

人を楽しませることは聞くことから始まるのかもしれません。

「一日一善」もいいですが、1日1回誰かを楽しませるような「一日一楽」から始めてみてもいいかもしれません。人との繋がりが活性化し始め、行動することが楽しくて仕方なくなるはずです。

16 すぐやる人は、まわりの人を楽しませることに気を配っている！

17 すぐやる人は選択肢を3つ用意し、やれない人は自由選択式。

先にご紹介したように、何かに取り組むときは自分の意志力に頼るだけでいると、物事が前に進まないことがたくさんあります。ラクできるものならばラクをしたいと思う気持ちを持つことは、人間として自然なことなのです。

だから、周囲を巻き込むことで行動力を高めることができるのです。

しかし、周囲を巻き込むとき、どのようなアクションを起こすかで「すぐやる人」と「やれない人」では大きな差がつきます。

「すぐやる人」は、誰かにお願いをするとき、漠然としたお願いはしません。漠然としたお願いは相手を困らせることになることを知っているからです。

たとえば、アポを取って相談に乗ってもらうとき、あなたは日程調整をどのようにしていますか。自然消滅してしまっていませんか?

「すぐやる人」は、3つの選択肢で相手に問いかけます。「3月15日と18日、23日で、どこかお時間ありませんでしょうか」といったように、相手の予定を伺います。

「では3月15日でどうでしょうか」という返事がくることもあれば、いずれも予定が合わないこともあるでしょう。

ただ、相手にとって三択は相手のアクションを促しやすく、「24日だったら空いているのですが、どうでしょうか」と返事がくる可能性が高くなります。

つまり、**選択肢を絞って提案することで、アポ取りに成功する確率はとても高くなる**ということなのです。

「やれない人」は、アポを取るときに、「いつが空いてますか」や「今度、時間あるときに会ってもらえませんか」というように漠然とした質問を相手に問いかけます。すると、相手は選択肢が無数に与えられたことになります。

たとえば、「6月中であれば、いつがいいですか」という問いでも、30日分の選択肢が与えられることになります。30もの選択肢が与えられた人は選択することが難しくなってしまい、相手はアクションを起こしにくくなってしまうのです。

今では有名なセオリーとなりましたが、心理学者バリー・シュウォルツの「選択のパラドックス」は選択肢の多さは無力感に繋がると説いています。

また、コロンビア大学ビジネススクール教授のシーナ・アイエンガーが発表した研究によれば、24種類のジャムの売り場と、6種類のジャムの売り場では、前者は後者の10分の1の売り上げしか上がりませんでした。

選択肢が多いことで相手に自由を与えることはできますが、一方で相手がアクションを起こしにくい状況を引き起こしてしまうリスクがあるということなのです。

だからと言って、ひとつに決めつけてしまったり、2つに選択肢を絞り込み過ぎてしまうと、相手は自由を奪われたと感じてしまって、抵抗感を持ってしまいます。

つまり、**相手ときちんとアポを取りたければ、自由選択式での質問を相手に投げるのではなく、3つくらいに選択肢を絞ってから相手に問いかけてみる**のです。

そうすることによって、相手は選択肢が絞られていることで検討しやすくなり、何かしらのアクションを起こすモチベーションも高まるのです。

「すぐやる人」はこのことを理解しているので相手にA案、B案、C案を提示することで相手のアクションを喚起し、相手を巻き込んでいくのです。

周囲を巻き込むことができればあなたもアクションを起こすことになるでしょう。巻き込むスキルは行動力を高めてくれるのです。

17 すぐやる人は、選択式の質問で周囲を巻き込む！

18 すぐやる人は質問で前向きになり、やれない人は質問でやる気を失う。

「もし自分が死にそうになって、助かる方法を考えるのに1時間あるとしたら、最初の55分は適切な質問を探すのに費やすだろう」と言ったのはアインシュタインです。

ウォルト・ディズニーも質問のプロだったそうです。壁一面にプロジェクトを貼り出し、「どうすればプロジェクトはもっと良くなるか？」という質問の答えを社員全員に書き出してもらうことで、社員の能力を引き出していたそうです。

古今東西の成功者はもちろん、**「すぐやる人」は、いい質問は人を動かし、悪い質問は人から行動力を奪ってしまう**ことを知っています。

「なんで、何回も同じことを言わないとわからないの？」
「どうして、いつもそんなに時間がかかるの？」
「なぜ、もっとテキパキと動けないの？」

このように問われると、どうでしょう。「もう嫌だ」とやる気を失なってしまいませんか？

このような質問は、相手からやる気と行動力を奪ってしまいます。

そして自分に対しても、「なぜ、こんなに◯◯なんだろうとか」「どうして、こんなに◯◯なのか」というような質問を投げていては、前向きに考え、行動することは難しくなるでしょう。

そこで、「どうすれば、◯◯することができるか」という質問に変えるだけで、思考が前向きになり、行動力がアップします。

質問とは脳へのスイッチです。質問を変えることで意識の焦点の当て方が変わります。

質問は感情に影響を与えるので、ネガティブな面に焦点を当てた質問を繰り返せば、気分は落ち込むばかり。一方で、ポジティブな質問を繰り返せば、感情もプラスに向き、脳が活性化するのです。

だから、「やれない人」はいつもネガティブな質問を繰り返して、自分を責めてしまいます。質問によって自分で自分を追い込んでしまうクセが無意識に染みついています。

そして、他人に対してもネガティブな質問をしてしまう傾向にありますので、相手の心をつかむことが難しくなってしまうのです。

一方で「すぐやる人」はいい質問で自分を動かします。**いい質問とは、自分にできることは何かということだけに、意識を向けた質問のこと**です。つまり自分が変えられることだけに集中するということです。特に、他人を変えようとするよりも、自分を変えるほうがよほどラクです。

例えば、日本人は時間にきっちりとしているので、10時に待ち合わせをしたら5～10分前には待ち合わせ場所には到着しています。

一方、外国人はそれほど時間に対してシビアには考えず、「10時ならば10時15分くらいまでならば大丈夫」と考えている人が少なくありません。15年間日本に住んでいる外国人の友人ですら、その時間に対する考え方を変えることにまだ苦戦していると言っていました。

最初は「なぜ、時間を守れないのだ」と思ったのですが、嘆いても状況は変わらないので、「どうすれば時間通りに予定を進めることができるか」と質問を変えました。すると、10時に待ち合わせるなら、9時45分に待ち合わせればいいという結論に至ったのです。

もちろん外国人全員がそういう人ばかりではありませんが、時間に対しての価値観は文化によって大きく変わります。だから、その人の価値観を嘆くのではなく、それを踏まえて「自分にできることはなんだろうか」と質問の焦点をズラすことで、思い通りに進めることができるのです。

それによって感情や気分もブレることがなく、自分のすべきことに集中することができます。

そして**「すぐやる人」は他人に対しても、いい質問を投げかけます。前向きないい質問によって相手の心にカチッとスイッチを入れ、物事をスムーズに進ませます。**

同じ状況にあっても、投げかける質問ひとつで私たちの気分は大きく変わります。気分が乗らないときは思考は停止し、行動力が低下してしまいます。

気分がいいときは脳もオープンな状態となり、前向きに物事が進みます。質問はあなたに力を与えることも、あなたから力を奪うことすらできるのです。

18 すぐやる人は、前向きな質問で状況を好転させる！

19 すぐやる人はライバルを応援し、やれない人は相手の失敗を喜ぶ。

あなたにはライバルがいますか？

仕事だけでなくプライベートでもライバルが出現すると、イラッとしたり、心配になったりしてしまいませんか？

誰でもライバルの存在は気になるものですが、ライバルが出現したときの対処法は大きくわけると、次の２つでしょう。

歓迎するか、蹴落とそうとするか、です。

「すぐやる人」はライバルの存在を歓迎し、ライバルを応援します。一方で、「やれない人」はライバルを歓迎せず、蹴落とそうとし、ライバルの失敗を喜びます。

「すぐやる人」はライバルの存在を必要なものと考え、それによって「もっと自分を高めたい」というモチベーションに繋がると考えています。

ライバルがモチベーションに影響を与えるのかという研究は、1898年にさかのぼりますが、アメリカの社会心理学者ノーマン・トリプレットの実験では、自転車競技のサイクリストはライバルがいたほうが記録が良くなることを示しました。

また、ニューヨーク大学の研究者たちは6年の月日をかけ、3キロから21キロの中長距離走者を研究し、ライバルがいるときはランナーの記録がどんどん良くなっていくと結論づけました。またライバルがいるということは、未来へのモチベーションにもなると言っています。

ある実験では、317名の被験者にオンラインで競争についてのアンケートに答えるように指示しました。半数はライバルがいた競争を想定して、そのときのことを思い出させ、残りの半数にはライバルではなく単純な競争を思い出させました。

すると、ライバルがいた競争を思い出したグループのほうが強いモチベーションを感じ、より良いパフォーマンスができたと報告したのです。

しかし、ライバルを持つということは、非倫理的な行動の引き金となる可能性があります。相手に嫌がらせをしたり、陰口を言ったり悪い噂を広めたりなどをして、相手を蹴落とそうとします。

これは「やれない人」の典型的なパターンです。本来すべきことの対象は嫌がらせでも陰口でもありません。ライバルと同じ土俵で自分にできることをやるのが、正解です。

ニューヨーク大学のガービン・キルダフ准教授は、ライバルとの関係性が競争の中での行動を決める大きな要因であるとしています。知らない人よりも、友人のほうがライバル関係としてモチベーションにプラスの作用することも研究でわかっています。

つまり、**ライバルと良い関係を築き、お互いがお互いの心に火をつけ合うことが私たちに良い行動を促します。**

確かに、私も高校生の頃、学力が伸び始めたときにはライバルがいました。数名の友人と試験のスコアを競うようになってからは、成績の伸び幅が大きくなったのです。相手を蹴落とすのではなく、相手のスコアを超えるべく、自分自身と向き合うということです。

相手がどういうスコアを出すかは誰にもわかりませんし、それは自分の力の及ばないものです。だから、自分自身ができることを精一杯やる。それしかありません。そして、それがプラスのモチベーションを生み出すのです。

つまり、ライバルと友好な関係を築くほうが、モチベーションに良い影響を与え、パフォーマンスの質が向上します。だから「すぐやる人」はライバルと友好な関係を築こうとします。**ライバルを応援することで、自分をもっと高めることができる**のです。もっと頑張ろうとアクティブに、そして前向きになれることを知っているからこそなのです。

人は人から大きな影響を受けます。心理学者アルフレッド・アドラーは「人間の悩みは、すべて対人関係の悩みである」と断言しているほど、他人との関係は日常から切って離すことができないものです。

ライバルの出現は切磋琢磨する環境をあなたに与えてくれます。その存在をエネルギーに変えることで、より行動的にアクションを起こしていくことができるのです。

19 すぐやる人は、ライバルとお互いに切磋琢磨できる関係をつくる！

20 すぐやる人は期限を自分で決め、やれない人は期限を守ろうとする。

期限を守るということはビジネスだけでなく、プライベートにおいても他人と信頼関係を守るためには不可欠です。相手の期待を上回ることができれば、相手に感動を与えることすらできます。

だから、「すぐやる人」は指示や依頼を受けたときに、とにかく動き出しが早いのです。

その第一歩は、**期限を与えられたままやるのではなく、期限は自分で再設定する**ということ。

期限が差し迫った依頼であれば、時間に対しての緊張感はある程度持てます。

しかし、そうでないものの場合、時間を無限に感じていては「いつか」でよくなってしまうのは自然なことです。「やらなきゃいけないな」ということは誰もが感じていることのはずですが、テキパキと「やる」のか「やらない」のかでは大きな差がついてしまいます。

時間がありすぎるから時間がなくなってしまうのです。制限時間を意識して仕事をする場合と、それを感じずに仕事をする場合では、集中力の高さが変わってきます。限られた時間しかないとなった場合は、私たちはその中でできることを真剣に取捨選択するようになります。

逆に、制限時間という強制力がないままで自分の意思でなんとかしようとしても、なかなか思うようには行動できないのが人間なのです。

少し思い出してみてほしいのですが、夏休みの宿題はいつやっていましたか？

余裕を持ってすべて完了させていましたか？

それとも夏休みの終わりに「ヤバイ」と思いながら一気に片付けていませんでしたか？

「ヤバイ」という時間のない現実に追い込まれて、はじめて行動を起こす人は少なくないでしょう。時間がないからテレビなんて見ている場合じゃない、ＬＩＮＥやＳＮＳをしていては間に合わない、と感じられるので誘惑に勝つことができます。

時間が十分にあると勘違いしてしまうと、私たちの前には選択肢が増えます。「やる？

やらない？　まだ明日やれば間に合うのじゃない？」と、ひとつひとつのことに決断する機会が増えるほど迷いが生じ、行動力がぐんと落ちてしまうのです。

「すぐやる人」たちが期限や締め切りを自分で設定するのは、人に言われて動いている時間ではなく、自分の意思で動いてる時間を増やせば、主体性を持てることを知っているからです。

つまり、糸がピンと張ったように、「ちょっとタイトだな」と感じるくらいの期限設定によって、**時間の強制力をうまく活用することで、瞬発力を高めることができる**のです。

そうすることで最初の一歩が速くなります。最初の一歩が速いとそのあとも続きやすいものです。最初の一歩がズルズルいけばいくほど、先延ばしのサイクルにはまりやすくなります。

私の場合、こうして本を執筆をする機会が増えていますが、依頼された締切ではなく、それより早く自分の締切を設定しています。２００ページの本を執筆することは当然ながら1日では終わりません。時間がかかります。50項目からなる本書の場合は、「1週間で5項目書く」と決めて、10週間で仕上げることを目指します。忙しいときもありますが、時間がないから無駄を削って取り組めます。

たとえ締切が3カ月後（12週間後）でも、10週間で仕上げることを決めれば、2週間は調整に使うこともできますし、それ以上早く仕上がるならそれはそれでいいでしょう。

1日単位に落とし込むとできない日も出てくる可能性があります。

そこで、1週間単位での取り組み量を決めて自分で締切を設定すれば、毎週のスケジュールにも具体的に落とし込んでいくことができるはずです。そうすれば、毎日の時間の使い方に強制力が働くようになるでしょう。

計画とは計画通りに進まないもの。様々なトラブルが発生するリスクは常に潜んでいます。だから、早めに期限を設定してしまうことで、もしものことがあっても対処できます。

時間の強制力を活用しながら早く、的確な取り組みをしていきましょう。

20 すぐやる人は、自分で期限を決める！

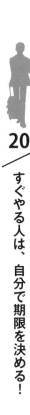

21 すぐやる人は教わり上手、やれない人は頼り下手。

父親が米相場に手を出し、失敗してしまった。10人家族は平穏な生活を突如失い、故郷を捨てなければならなくなった。小学校に3年半しか行けないまま、学校にも行けなくなってしまった――。

これはパナソニックの創設者、松下幸之助さんの実話です。

あなたが、もし同じ境遇にあったとしたら、人生を諦めてしまいそうになりませんか？

私なら間違いなく諦めると思います。

しかし、松下幸之助さんは成功できた要因のひとつとして、学校に行けなかったことを挙げられるのです。

学校を出ていない松下さんは、わからないことばかり。知らないことばかり。だからこそ、素直に人に聞くということしかない、と考えたのです。人に素直に聞き、知識や知恵を学び続けたことで大きな成功を手に入れました。だから、学校に行くことができず、人並みに学ぶ環境がなかったことを成功の要因に挙げられたのです。

あなたも素直に人から学んでいますか。誰からも学ぼうとしているでしょうか。「すぐやる人」は人から学びます。人から素直に学びます。年齢や国籍などは関係ありません。好奇心が旺盛なので、素直に「教えてください」と言うことができます。

確かに、インターネットは便利で、持った疑問への回答を一瞬で探すことができるかもしれません。

しかし同時に、何が正しくて何が間違っているのかもわからないほど情報であふれかえっています。

私がジムに通う理由のひとつは、お腹まわりの贅肉を落とすためです。ネットで検索するとたくさんの情報が出てきます。こんなトレーニングをしたほうがいい、あんなトレーニングをしたほうがいい……。よくわからないので、トレーナーさんにお腹の現状を伝え、どうすればいいかを素直に聞いてみました。

インボディ測定といって、体を構成する基本成分を分析してもらうと、やはり数字から見てもお腹の贅肉の多いことがわかりました。それをなくすためには有酸素運動と筋トレの組み合わせが重要だということなのですが、これだけではまだわかりません。

そこで、どのマシーンで有酸素運動をすれば脂肪の燃焼が早く、どこをどれくらいの負荷で鍛えればクビレがつきやすいのかを、教えてもらいました。

すると、これまで以上に腹筋に負荷がかかってしんどいのですが、確かにお腹の余分な贅肉が落ちていったのです。

「すぐやる人」は教わり上手なのですが、教わり下手な人は質問をするわりにはやらないのです。

私は多くの企業や大学などで教育にかかわりますが、「伸びる人」と「伸びない人」の違いもここにあると思っています。**伸びる人はアドバイスしたら、すぐに試します。とにかく素直にやってみる**のです。だから次回会ったときには、何かしらの反応があります。

「アドバイス通りやってみたら、うまくいきました」という場合もあれば、「アドバイス通りやってみたのですが、まだうまくいかなくて」という場合もあるでしょう。

どちらの場合にしても、アドバイスした側からすると、アドバイスを素直に実行する人は助けたくなります。より良くなってほしいと思います。うまくいかなかったのであれば、どこで詰まってしまったのかを一緒に考え、次こそはうまくいけばいいと思います。

しかし、アドバイスを請うわりには素直にやってみない人や、自己流をどうしても貫いてしまう人は、「アドバイスしてもどうせやらないんだから、アドバイスする必要はない」と判断されてしまうと思いませんか?

案の定、自分のやり方に固執してしまう人は、伸びません。

「すぐやる人」は人からも好かれるのです。もっと教えてあげたくなる人なのです。みんなそれぞれ、環境も、専門も、経験も、考えも違います。

だから、自分にないものを持っている人から素直に学ぶ心を持っておくことで、自分を磨く速度を早めることができるのです。

21 すぐやる人は、アドバイスを受け入れ、まずは素直にやってみる!

22 すぐやる人は自分から挨拶をし、やれない人は相手の出方を待つ。

ビジネスの現場などでは、初めて会う人に挨拶をしたり、名刺交換などをしますが、このときに「すぐやる人」と「やれない人」の違いがくっきりと現れます。

初対面の人に会ったとき、私たちはどのくらいのスピードで相手の印象を決めているか知っていますか？

一般に15秒程度と言われていますが、早い場合は3秒程度で印象を感じられる場合もあります。

第一印象で形が作られる考えのことを心理学で「初頭効果」と呼びます。最初の挨拶を交わすくらいの時間で第一印象が決まってしまうなんて怖いですね。そして、自分から先に動く人はポジティブな印象を与えやすいのです。

もちろん、いきなり強引に自分を売り込んだりすることは相手に心理的障壁を作らせて逆効果にもなってしまいますので、なんでも先に動けばいいというものではありません。しかし、挨拶や名刺交換は自分から先に動くことでポジティブな印象を与えやすくなります。

特にビジネスでは、人間関係の中から新しい仕事が生まれることが多くあります。自分から動くことで相手との関係性において主導権を握りやすくなります。主導権と言えば何かの駆け引きのように聞こえてしまうかもしれませんが、よりリラックスをして自分のペースで相手との関係構築進めやすくなるということです。

だから、**「すぐやる人」は初対面の人に対しても自分から進んでアクションを起こしていきます。**一方で、「やれない人」は相手が話しかけてきてくれるのを待っています。これでは相手に印象は残りにくく、「受け身な人だ」という印象を与えてしまう可能性すらあるでしょう。

引っ込み思案な性格もあって、私はかつて自分から初対面の人に挨拶することにためらいを感じていました。

しかし、成果を出す人を観察していると、こぞって自分から進んで挨拶をしたり、名刺交換をしていることに気づきました。それ以降は自分から動くようにしているのですが、やはり相手とのスムーズな関係を築きやすいのです。引っ込み思案だからこそ、自分から動くことで心理的にラクになることに気づきました。

そして、「やれない人」は自分から相手に情報を与えることをせず、いわゆる「くれくれ星人」になってしまう傾向にあります。つまり、相手を質問攻めにしてしまって「なんで初めて会った人にここまで根掘り葉掘り聞かれなきゃいけないのか」と、警戒心を持たれてしまうのです。

しかし、「すぐやる人」は自分から先に相手に情報を与えます。自己開示においても先手を打ちます。

「返報性の法則」という言葉を聞いたことがある人もいるかと思いますが、人は何かをもらったり、何かをしてもらったら、お礼をしたくなる心理のことを言います。友人に旅行のお土産をもらったら、次に自分が旅行へ行ったときにその友人にお土産を買いたくなります。もらいっぱなしだと気持ちが落ち着かないという人もいるでしょう。

これと同じで、**自分から進んで自己開示することで相手の警戒心が解かれて、相手の話を引き出しやすくなる**のです。プライベートの話を聞きたいならば、自分からプライベートを明かすことが大切なのです。

たとえば、いきなり「趣味はなんですか?」と聞くよりも、「最近ジムに通い始めたのですが、仕事で溜まったストレスを解消できるのでハマっているんです。○○さんは何か趣味はありますか?」と聞くほうが断然答えやすいはずです。

コミュニケーションでも、ぐずぐずしているとせっかくのチャンスを逃してしまいます。だから「すぐやる人」は自分からアクションを起こしていきます。初対面の人に対しても、自分から挨拶をしたり、相手の情報を知りたければ、まずは自分の情報を伝えたりすることで関係の構築をスムーズに進めるのです。

22 すぐやる人は、初対面の人にも自分から進んで声をかけに行く!

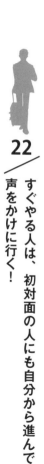

第4章

感情マネジメント 編

23

すぐやる人は感情をうまく吐き出し、やれない人は感情を溜め込む。

人は毎日、様々な出来事の中で喜怒哀楽を感じています。ときを忘れてしまうほど何かに夢中になれたり、うれしい気持ちや楽しい気持ちを感じているときは、心がワクワクして、行動力も自然と高まっています。

一方で、ストレスが溜まってイライラしたり、落ち込んで元気が出ないといったように、悲しみや怒りを感じているときは、感情のコントロールが難しく、思わぬ行動をとってしまうことや、何もしたくないモードに入ってしまいます。

このように、行動力と感情は切っても切れない関係にあると言えます。

私たちの日々の行動は感情ではなく、理性に従って生きていると感じますが、実際は思考と結びついた感情や感覚に支配されていることが、ほとんどなのです。

まず**大切なことは、人間は感情の生き物であるということを受け入れること**でしょう。

感情にはプラスとマイナスがありますが、必ずしも怒りや悲しみがマイナスに働くわけではありません。

「見返したい」

「今度こそ成果を出してやる」

こういったような怒りの感情は目標を達成するための行動を促してくれるでしょう。悲しみは、ときに冷静な行動を促してくれるでしょう。

ただ、不安や怒りの感情が強くなりすぎると、行動を起こす力になるよりも、挫折や恐怖心で身動きがとれなくなることのほうが、多くなります。

感情に支配されてしまっている状態は無気力感を生むので行動力は低下します。感情とのつきあい方がうまいと感情に振り回されることは少なくなります。

「すぐやる人」は「やれない人」と比較すると、感情のコントロール法に差があります。「すぐやる人」はうまくコントロールでき、心が安定しています。「すぐやる人」や「結果を残す人」というのは、感情が安定しないような出来事が起こったときにも、集中力を失わず的確な行動がとれます。

もちろん自分の身にどんなことが起きるかについてはコントロールできない場合はたくさんあります。

たとえば、相手のためになるようなことをしていても、相手は攻撃的な反応を見せてくるかもしれません。恩を仇で返されるような出来事があるかもしれません。

感情は押さえ込もうとすればするほど勢いを増します。**感情をコントロールする最適な方法は、感情を悪とせず受け入れること。**素直に自分の気持ちや感情を誰かに伝えることです。

感情は溜め込まず、吐き出す習慣を身につけましょう。感情が積もり積もって爆発してしまう前に、感情を溜め込まず、ちょっとした感情でも必ず吐き出すような仕組みを持っておくほうが良いのです。

感情を頭の中で整理しようとしてもなかなかうまくいきません。だから感じたことをどんどん紙に書き出すことが有効です。

人は自分の姿を直接見ることはできず、鏡を通して自分の状態を確認するように、自分の頭の中にあるモヤモヤしたものを紙に書き出すことで、少し距離をおいた視点で感情を見つめ直すことができるようになるのです。

手書きが一番効果が高いと言われていますが、たとえば、twitterで自分だけにしか公開しない感情リセットアカウントを作ってみてもいいでしょう。

大切なことは、感じたことをどんどん自分の中から取り出してあげること。ささいな感情を見逃さず、言語化してみることで、心に大きな余裕を生み出すことができるようになります。

23 すぐやる人は、ちょっとした感情でも、すぐに吐き出す仕組みを持っている！

24 すぐやる人は儀式でスイッチを入れ、やれない人はサザエさん症候群。

打席に入る前に軽く屈伸し、バッターボックスに立てばバットを半回転させてセンター方向に垂直に立てます。そしてユニフォームの右袖をまくるような仕草をし、またバットを半回転させて構えます。イチロー選手がいつも打席に入るときに行なう動作です。

このように、集中力を高め、気合いを入れるための儀式を行なうことで重い心を動かすことができます。

すぐに取りかかれるような簡単なタスクならば、心理的な負担はそう大きくないはずですが、「面倒だな」と少し気が重く感じるようなタスクであれば、気合いを入れることで自分を動かしやすくなります。

そのひとつの方法が儀式を取り入れることです。**儀式は行動のスイッチとなります。**

それをすれば「よしやるか！」と思えるようになるのです。

「オペラント条件付け」という言葉を聞いたことがある人もいるでしょう。ある行動をしたら、自分にとって良いことが生じた。以後、その行動に対して良いイメージを持ち、積極的になる。逆に、ある行動をしたら自分にとって良くないことが生じた。以後、その行動に対して消極的になる——。

「オペラント条件付け」とは、行動とその結果の関連性を学習することです。

たとえば、「サザエさん症候群」。サザエさんの放送が終わると、「明日からまた長い1週間が始まる……、仕事か……」と憂鬱な気分になるようなことです。以後、サザエさんの放送が終わるたびに憂鬱な気分になってしまいます。

これはマイナススイッチの例ですが、日曜日の夕方のネガティブな儀式と捉えることができますね。

それとは逆に、高いパフォーマンスを発揮するためにはポジティブな儀式を取り入れると効果的です。**ポジティブな儀式によって「自分はできるのだ」と前向きなセルフイメージが頭に浮かんでくるので、積極的になれる**のです。

儀式は心理学的に見ても効果があるとされています。

私は留学中、試験を受けなければいけない日は、朝に必ず決まった栄養ドリンクを飲んでいました。たまたま眠気覚ましのつもりで飲んだときがあって、そのときは自分が思っていた以上の結果を残すことができたのです。それ以降は、その栄養ドリンクを飲んでから試験に臨むようになりました。

また、フィギュアスケートの羽生結弦選手はＮＨＫ杯で４回転ループという大ワザを決めたとき、直前に「できる、できる、できる！」とつぶやいたことが話題になっていました。練習でそうつぶやいたときに完璧な成果を出せたことが、きっかけになったということです。それによって自信がみなぎってきて、大舞台のプレッシャーに負けず大ワザを完璧にやってのけたのです。

儀式の多くは偶然の産物なのかもしれません。たまたま何かの動作が、大切な成功体験に繋がったときに、またそれを繰り返せば良い成果に繋がるのではないかという期待を持つようになるものです。

私は最近では、プレッシャーのかかる仕事や気合いが必要なときにはお気に入りの紅茶を飲むようにしています。紅茶の香りを嗅ぐだけで、イギリスでの充実した日々を思い出し、そこから自分はどれだけ成長できているのかを考えるモノサシを与えてくれるのです。すると「あの頃、夢見た自分になるために、ここで踏ん張らないと」と思えるのです。

あなたには何か大切にしている儀式はありますか。ときには気持ちが伴わず、気合いを入れないといけないような場面もあるでしょう。

「すぐやる人」はそれぞれのこだわりの儀式を持っているものです。儀式というと何か大げさな気がするかもしれませんが、心のスイッチをＯＮにできるような、あなたのこだわりを持ってみましょう。

24 すぐやる人は、集中力を高める儀式を持っている！

25 すぐやる人は物語を読み、やれない人は映像に頼る。

あなたは自分の直感に自信を持っていますか？

「心と直感に従う勇気を持ちなさい。それは、あなたのなりたいものが何なのか知っているものだ。それ以外は、二の次でいい」

と言ったのは、あのスティーブ・ジョブズです。

私たちの毎日は選択の連続です。情報を徹底的に集めたり、思考に思考を重ねたりしても、意思決定することが難しい状況というのはよくあることです。

「すぐやる人」は、とにかく直感が鋭く、チャンスを汲みわける嗅覚を持っています。

たとえば、サッカーでは得点能力に優れたストライカーは「なぜかそこにいる」ということが頻繁におこります。インタビューなどで得点シーンを振り返るときも「そこにボールがくると思った」と、一般人からすると予想もできないような場所に出没して、ゴールを決めてしまいます。迷い、判断が1秒遅れていたらゴールはあげられなかったでしょう。

まさに直感が瞬間的に働いているのです。

ジョブズの例もそうですが、世界のエグゼクティブも論理的に突き詰めて考えているように見えても、最終的には自分の直感で大切なことを決めていることが多いものです。頭で考えてもダメなことがたくさんあるからです。

しかし、教育の過程で考えすぎてしまうクセがついてしまうと、どんどん直感が鈍っていってしまいます。人生でもビジネスでも、どんなときでも、生き残る動物的な直感を持っている人は強いのです。

特に人生には浮き沈みがあります。「潮の流れ」と言ってもいいかもしれません。うまくいくときはとことんうまくいく。ダメなときは何をやってもダメ。このような**潮を読み、ここぞというときに勝負する人はいつの時代も強い**わけです。

勝負どころで迷わず、「すぐ行動できるかどうか」の直感を鍛えることで仕事やプライベートでも大きな成果を出すことができます。

直感力を鍛えるための方法は様々ですが、中でも重要なものを2つご紹介しましょう。

1つは、まず**経験をたくさん積む**こと。「量質転化」とも言いますが、とにかくチャレンジをたくさんすることです。量が質を産むということなのですが、とにかく経験値が必要です。「下手な鉄砲、当たればラッキーかな」というような気持ちではなく、うまくいかなかったら、しっかりと改善策を考えることです。

サッカーのストライカーもそうですが、ひとつひとつのチャンスにこだわり続けているからこそ、直感力が磨かれ、いざというときにカラダが自然と反応するのです。

将棋の羽生善治さんは、「直感の7割は正しい」と仰っていますが、これは何もあてずっぽうからくるものではなく、思考に思考を重ね、たくさんの経験を蓄積しておくからこそ、ふとした瞬間に直感が働くのだそうです。

もうひとつは、**右脳を鍛える**ことです。私たちの脳は左脳と右脳に分かれていますが、左脳は論理的な思考を司っていて、右脳は感性脳と言われ芸術的な感性を担っています。直感力を鍛えるためには、この右脳の働きを高める必要があります。

子供の頃は右脳を鍛える機会も多かったのですが、大人になるとそれが難しくなってしまいます。そのひとつの原因が映像に頼るようになってしまうことです。映像は簡単でわかりやすく、想像することを求めません。

子供の頃、母親に絵本の読み聞かせをしてもらった人も多いでしょう。子供たちは、物語を聞きながら頭の中で、ひとつひとつのシーンを頭に描きます。言葉や文字だけを頼りに、頭の中でイメージを描くのです。

このとき右脳は活発に動き、刺激されています。**小説や物語を楽しむことは想像力を必要とするので、右脳を刺激します。**それは直感力を鍛えるための最高のトレーニングでもあるのです。

ビジネス書にはビジネス書の良さがあり、私も読むことが大好きです。しかし、ときには直感力を鍛えるために小説を読み、頭の中にイメージを膨らませてみたいものです。

25 すぐやる人は、潮を読むために、直感力を鍛えている！

26 すぐやる人は五感をフル活用し、やれない人は他人の評価を頼りにする。

何でも調べればわかるという時代。考えなくても、インターネットを使って調べれば済みます。実際に経験しなくても済みます。

しかし、グルメサイトで1位にランクされるお店が、自分にとっても1位とは限りません。レビューで評価が高かったからといって、自分に合っているわけではないことってよくありますよね。本当は何が正解かなんてわからない、または正解なんてそもそもないわけです。

だから、「すぐやる人」は自分の基準を信じています。自分が満足できるかどうか。楽しいと思えるか。おいしいと思えるか。他人の基準でものを選ぶのではなく、自分を基準にしているので迷いがありません。**楽しそうだと思ったからやってみる。おいしそうだと思ったから食べてみる。**そういうことです。

「すぐやる人」は五感をフル活用します。自分の五感を使ってモノに触れます。視覚や聴覚はもちろんのこと、触覚や味覚、嗅覚をも大切にしているのです。わかったつもりになってしまうことが行動力を鈍らせることに繋がるからです。

インターネットやSNSが発展してきたおかげで、日本にいながらにして海外の風景の写真を見ることができたり、動画で海外の様子を見ることができます。また旅行に行く前にも、写真を見たり動画を見たりすることで、その雰囲気を感じることができたりします。

今や映像の技術はかつてないほど素晴らしく、感動を覚えるような映画もたくさん登場しています。

確かにこのように、私たちは視覚や聴覚をだけで様々なものを認識することができる時代に暮らしています。ただそれで世界を、現実をわかりきったつもりになっているといけません。

本来私たちの本能に最も近いのは嗅覚です。変な臭いがする、危険かもしれないと状況の安全性を確認するために、顔の中でも鼻は前に突出しています。動物的な特徴とも言えます。

しかし、私たちは人間は理性によって本能を抑えこもうとしてきた結果、嗅覚がどんどん衰えています。

大人になるにつれて、味覚も鈍ります。子供の頃、苦いと思っていたコーヒーやピーマンが大人になるとその苦味に鈍感になってしまいます。様々な味に鈍感になっていくのです。

別にグルメサイトのランキングや点数で店を選んではいけないということではありません。それがバイアスとなって本当に味覚で感じているかどうかわからなくなってしまうことが問題なのです。

いい匂いがするお店に入ってみて、おいしいかどうかを自分の味覚で純粋に味わってみましょう。そうでないと味覚はどんどん衰えてしまいます。

また、指先や肌を通してモノの硬さや弾力性、肌触りなども日々感じているでしょうか？様々な場所に足を運び空気を感じてわかることもあります。乾いた空気なのか、湿った空気なのか、重いのか軽いのかなどは、現場でなければ感じることができないものばかりです。何かに触れるときは指先に意識を集中させて触れてみましょう。

頭でわかったつもりではなく、五感で感じとってみる。そうすれば五感はどんどん鋭くなっていきます。五感が鋭くなればなるほど、ちょっとした変化を感じることができるようになります。チャンスを見つけることもうまくなっていきます。判断力も高まります。

「やれない人」というのは、見たら理解できる、聞いたら理解できると思っていますが、インターネットや口コミ、メディアから入手した情報はすべて二次情報でしかありません。それをあたかも自分が体験したかのように決めつけてしまっていては、あなたの可能性はどんどん小さくなっていくばかりです。

「すぐやる人」というのは、**現場に足を運び、その場の空気感や雰囲気に触れながら五感を使って物事を味わう習慣を身につけている**のです。

五感を通じて自然の感覚を意識することなどは、脳を刺激し、脳の機能を高めるためにとても有効です。体験こそが五感を磨く方法なのです。

26 すぐやる人は、目で読んだだけの情報を鵜呑みにしない！

27 すぐやる人は根拠なき自信を持ち、やれない人は自分を否定する。

「最初にあったのは夢と根拠のない自信だけ。そこからすべてが始まった」

こう語ったのは、ソフトバンクの創業者である孫正義さんです。

しかし、自分に自信が持てない人が増えています。自信が持てないから、一歩踏み出せず、ここぞというときに後ずさりしてしまいます。自分に自信が持てないことは、仕事もプライベートも踏み出すべきときに、停滞を生み出す原因となりかねません。そして、その自分にまた自信を失ってしまうという悪循環を招きます。

日本青年研究所の調査（２０１１年）で、「私は価値がある人間だと思うか」という質問をしたところ、アメリカの高校生の57％、中国の高校生の42％が「はい」と答えました。

一方で、日本の高校生はどうだったでしょうか？

なんと、８％しか「はい」と答えた高校生はいなかったのです。

「自分なんて」「どうせ無理だ」といった思考のパターンが染みついてしまっているので

す。これだと、チャレンジするどころか、リスクに対して臆病になってしまい、嫌なことはどんどん先送りにしてしまいます。常に不安につきまとわれている状態なので、当然、「やれない人」になってしまいます。

行動経済学では、新しいものにチャレンジせず現状維持をしていたいという心理状態を「現状維持バイアス」と呼んでいますが、それに拍車をかけるのが自信の欠如です。

「やれない人」は「実績がないから自信が持てない」と考え、現状維持に甘んじてしまいます。

一方で、「すぐやる人」は**「自信さえ持っていれば、実績はあとからついてくる」**と考えます。もっと言うと、「自信がないから、やらない、やれない」のではなく、**「やるから自信がつく」**のです。

先述の通り、私はマイケル・ジャクソンの映画『THIS IS IT』の監督で世界最高の振付師トラヴィスさんの通訳をさせてもらったことがあったのですが、オファーをもらったときは実績ゼロでした。

通訳という仕事に力を入れていなかったので当然ですが、ましてやマイケル・ジャクソンについてもほとんど無知。エンターテイメント関係での通訳経験も全くのゼロ。

特に通訳という仕事は、通訳する方の背景知識がなくてはうまくいきません。世界的なエンターテイナーのこれまでの実績や作品などについて頭に入っていないと、仕事にならないわけです。

しかし、オファーをもらって、引き受けるまでには時間は必要ありませんでした。私よりすごい実績を持つ通訳の人たちはたくさんいて、確かに尊敬に値しますが、「結局は同じ人間でしかない」と考えたのです。「誰かにできることは、自分にもできる」と。

そして、通訳の人たちの動画をたくさん見て自分の中にイメージを刷り込んで、なりきることに徹しました。

そうすると、実績も根拠もないけれど、自信が湧いてきて、イベントに参加した人たちからは「自信も実績もある通訳にしか見えなかった」と、言ってもらうことができたのです。ご本人からもその仕事っぷりを認めてもらうことができて、横浜アリーナで開催されたダンスコンテストでもそうそうたるアーティストの中で審査員席にも座らせてもらうことができました（もちろん通訳としてです）。

実績がなくても、根拠なき自信を持ってチャレンジした結果、それ以降はどんな緊張する場面でも乗り越えられる自信がついたのです。

ハーバード・ビジネススクールなどでも教鞭をとる社会心理学者のエイミー・カディは、「自分のなりたい姿になりきってみることは実際にそうなるまでのプロセスである」と言っています。

彼女のチームの研究では、被験者に強いポーズと弱いポーズのどちらもやることを求めました。すると、自信がないときに強いポーズをとると、自信が出てきたり、リスクを進んでとれるようになることがわかりました。反対に弱いポーズをやると、まったく逆の反応が見られたのです。**自信があるように振る舞うことで自信が湧いてくる、そしてストレスが減少する**ということがわかったのです。

「できるか、できないか」ではなく、根拠なき自信が大きな自信をつけるための第一歩なのかもしれません。

27

すぐやる人は、とにかく自信を持ってみることの大切さを知っている！

28 すぐやる人は言葉の力を信じ、やれない人は言葉をおろそかにする。

「言霊（ことだま）」という言葉を聞いたことがあるでしょうか。

言霊とは簡単に言えば、口にした通りの現実を引き寄せる言葉に宿っている力のことで、１２００年ほど前から日本では「良き言の葉は良きものを招き、悪き言の葉は災いを招く」と考えられてきました。


テキパキと行動する、いわゆる「すぐやる人」は言葉の力を信じているので、後ろ向きな言葉ではなく、前向きな言葉を意識的に使っています。

例えば、「できない」「だって」と言い訳する代わりに、「だから、次は」「どうすればできるか」と前向きに捉えます。なぜなら、**後ろ向きな言葉を使うと、行動が消極的になってしまう**からなのです。

「やれない人」は後ろ向きの言葉を多く使い、言葉の持つ影響力に注意を払いません。

心理学者であるリチャード・ワイズマン教授は、言葉がどれほど人の感情や行動に影響するかを研究したのですが、**私たちは触れる言葉の影響を無意識的に受けている**ことがわかっています。

ワイズマン教授は、被験者に、単語が書かれた複数のカードを正しい順番に並べ、それらが文章になるように、速く、正確に並べ替えるよう指示しました。1回目の実験では、「若い」や「素早い」といった単語のカードを用意します。2回目の実験では、「年老いた」や「遅い」といった単語のカードを用意しました。

そのあと、ワイズマン教授は被験者の歩く速さを測定しました。すると、「若い」や「素早い」という単語カードを使った1回目の被験者のほうが歩くスピードが速くなったのです。

また別の実験では、「イライラ」とか「せっかち」といった言葉を使いました。そして、カードを並び終えた被験者が実験終了の合図であるベルをどれだけ頻繁に鳴らすかを測定しました。

すると、他の被験者よりも、「イライラ」などという言葉を扱った被験者のほうが、はるかに数多くせっかちにベルを鳴らすことがわかりました。

つまり、ポジティブな言葉もネガティブな言葉も、どちらも私たちの気づかないところで影響力を持っているということなのです。


また、皆さんもご存知だと思いますが、モハメド・アリは「俺は強い」「俺は勝つ」といった自己暗示でとても有名です。イギリスのウォルヴァーハンプトン大学の研究によると、自己暗示によって私たちのパフォーマンスは高まるということもわかっています。

この研究によると、「私はできる、次こそ必ずうまくいく」などと絶えず独り言を発していたグループのほうが、メンタルトレーニングをしていたグループよりも、パフォーマンスが高かったのです。また、声に出すことは、モチベーションを高める効果もありました。

つまり、心の中でつぶやくよりも、声に出すことでパフォーマンスも行動力も高まるということなのです。


このように言葉には影響力があります。何度も何度も前向きな言葉のパターンを繰り返すことで脳内に新しい回路が作られていきます。

「楽しそう。でも、今は時間がない」を「楽しそう。だから、時間を作ってみよう」。
「やってみたい。でも、自分にはできないよ」を「やってみたい。だから、詳しい人に聞いてみよう」。

これらのように、たとえば、**「でも」を「だから」に変えてみましょう。**「やれない人」はやらない理由を探すのが得意なので、無意識のうちに「でも」を探してしまう回路ができ上がってしまっているのです。すると、前向きになれる場面でも、「でも」を探してしまいます。

だからといって「すぐやる人」は後ろ向きな言葉を使わないのかというと、そういうことではなく、感情に素直になり、ときに感情を吐き出して気持ちのリセットをしますが、それは限定的で、ふだんは前向きな言葉を選択しているものなのです。

28 すぐやる人は、前向きな言葉を発したり、使っている！

第5章

体調管理 編

29 すぐやる人は積極的な休みを楽しみ、やれない人は休養で疲労を溜める。

仕事や勉強などで休みなく頑張っていると、心身ともに疲労が蓄積してきて、パフォーマンスが低下してくることを実感したことがあるでしょう。だんだんと燃料不足になってきて、「補給するために休まなきゃ」と思っていても、休むということが難しいと感じる人もいるでしょう。

休日であっても、何かやっていないと落ち着かなかったり、罪悪感を感じてしまったりして、結局、いろいろ調べたり、書類をまとめたりしてしまうかもしれません。中途半端に休んでいるので、しっかりとパワーが充電されず、すぐに息切れを起こします。

また一方で、「休日はしっかり休養をとるのだ」とダラダラと過ごしたり、寝溜めをしたりします。

しかし、これも危険で、私たちの体内時計が狂いやすくなってしまいます。休日はたっぷり寝たり、ダラダラと過ごしてしまった結果、夜に早く眠れず、結局月曜日から体がだるい、ということを経験している人も多いのではないでしょうか。

どちらのケースも心と体に疲労を溜めやすく、頑張らなければいけないときに頑張れない、「やれない人」になってしまうリスクが高くなってしまいます。

皆さんは休日をどのように過ごしていますか。休日の過ごし方によって月曜日の朝をすっきりとした気分で迎えられたり、逆にだるさに鞭を打たないと体がなかなかパッとしなかったりします。

月曜日の朝一から全開で仕事ができるということは、休日の質が高く、心身ともにリフレッシュできているので、集中力がみなぎり、常に一歩先の仕事を見据えて取り組んでいくことができます。

スポーツの世界では有名ですが、「アクティブレスト」という言葉を聞いたことはあるでしょうか。文字通りアクティブに活動しながら、心身のリフレッシュを図るという意味です。疲れたカラダををほぐすようなイメージです。

アクティブレストの狙いは、全身の血行を良くすることと筋肉のケアにあります。軽めの有酸素運動で呼吸循環器系を活発化し、疲労回復を早めます。意志力の低下の原因でもある疲労物質の乳酸を効果的に体外へ排泄することができて、疲労回復に繋がるのです。

ぼーっと横になってテレビを見たり、ダラダラと休日を過ごすことのすべてが悪いのではなく、確かにそういう時間も大切ではあるのですが、軽いエクササイズをしたほうがカラダも心の疲労も回復することがわかっています。

脳細胞を元気にするためには、運動と休養の両立が必要なのです。

「すぐやる人」の多くは休日に積極的にカラダを動かします。なかなか休養をとることが難しい人は、誰かとテニスやゴルフをしたりという予定を入れて、強制力を使って休みをとります。

ただ、アクティブレストと言っても、何も激しい運動をする必要はありません。むしろ、軽く汗をかくくらいのほうがいいのです。あまりにも激しい運動をすると乳酸が溜まってしまう原因となり、休養ではなくなってしまいます。

気持ちいいと感じる程度のウォーキングやジョギングで十分なのです。時間は10分～15分程度を目安とし、それぞれの状況に合わせて行なうようにしましょう。お気に入りの曲を聴きながら近所を1周ジョギングしたりすることも、とてもいいものです。

特にウォーキングや軽いジョギングなど、一定のリズムでの運動を続けると、セロトニンが脳内で多く分泌されて、それによってリフレッシュすることができることもわかっています。

つまり、アクティブレストは心の疲れにも効果が期待できるというわけです。

また、ストレッチなどを少し取り入れることで、カラダが疲れにくくなるので、行動力を発揮しやすくなります。

30 すぐやる人は朝を大切にし、やれない人は夜が遅い。

頑張ろうとしても、時間だけが経過して結局進まなかった、ということってありませんか。特に夜にそのパターンが多いはずです。

夜は脳も身体も疲れているので、クリエイティブな仕事や新しいことにチャレンジするためのエネルギーが残っていません。夜の時間帯は、単純な作業やタスクの見直しなどには向いているので、このようなものに時間を使えば効率的ですが、その時間帯に無理に自分を動かそうとしても、なかなかうまくいかないことも納得できます。

しかし、「これから」を生み出していくことは、新しいチャレンジやクリエイティブなタスクでしょう。

そのため、「すぐやる人」や成功している人たちは早起きを習慣化しています。

スターバックスのＣＥＯ、ハワード・ショルツさんやアップルのＣＥＯ、ティム・クックさんは4時半に起き、ナイキのＣＥＯ、マーク・パーカーさんは5時に起床します。

皆さんの知っている世界のトップ・リーダーたちに共通することは、早起きであるということです。


『What the Most Successful People Do Before Breakfast』（成功者は朝食をとる前に何をしているのか）の著者である、Laura Vanderkam さんは次のように述べています。

「早朝は『意思の力の供給』が一番高まる時間だ」


「すぐやる人」は朝の大切さを理解しているものです。

海外に行くときには決まって朝早くから散歩をするようにしているのですが、驚かされるのは6時30分などの時間でもジムでたくさんの人が汗を流していることです。

日本でも増えてきましたが、私が住んでいたケンブリッジにも24時間営業のジムがあって朝から賑わっていました。

まず、脳は朝起きてから2、3時間を経過したあたりが、一番活発に活動することがわかっています。

だから、この時間帯にクリエイティブな仕事や、最重要事項にあたるようなタスクをこなすとスムーズに進みます。また、読書などのインプットに朝の時間を活用することもいいでしょう。

そして、誰にも邪魔されない時間を確保できるのもメリットです。

このような1日の中でも非常に価値が高く、せっかく頭が一番働く時間帯に、あれやこれやと時間に追われて過ごすのはもったいないとは思いませんか？

朝の1時間の使い方は1日の使い方を決めると言ってもいいくらいです。

また、ストレッチや10分程度の軽いジョギングやウォーキングを行なうだけで、さらに脳は活性化することもわかっています。

そのあとの時間を、私のように読書の時間にあてるのもいいですし、集中力やクリエイティビティを必要とするタスクに時間をあててもいいでしょう。

驚くほど脳がすっきりとした状態なので、どんどん前向きな行動を起こすことができます。

朝の時間を効率的に使えると、非常に気持ちがすっきりとします。朝の充実感は1日にさらなる活力を与えてくれます。

さらにうれしいことに、朝時間の活用への意識を持っておけば、夜は早めにすっきりと仕事を終えることができます。そうすれば、仕事のあとの時間も有効活用できることでしょう。

朝の時間をデザインすることは、これほどまでにもメリットがたくさんあるのです。世界の「すぐやるリーダー」たちに習って、あなたの最高の朝をデザインしていきたいですね。

30 すぐやる人は、朝の時間を有効活用している!

31 すぐやる人は腹八分目まで食べ、やれない人は満腹になるまで食べる。

お腹いっぱいで眠い。もう動きたくない。頭の回転も鈍るし、眠くもなる――。
お腹いっぱいに食事をしたあとは、眠気が生じて、なんとなくぼんやりとしてしまうといったことは、誰しもが味わったことがある経験なのではないでしょうか？

満腹になるとセロトニンという脳内物質が分泌されます。このセロトニンはさらに睡眠導入の効果があるメラトニンの分泌を促し、眠気を強めるという働きをします。つまり、満腹になるとホルモンの働きによって、睡眠が促進されることになります。満腹になるまで食べると眠気が増し、行動力が鈍るのはそのせいなのです。

「すぐやる人」はもちろん食事を楽しみますが、腹八分目で食事を終えます。
そうすることで、急激な血糖値の上昇を防ぎ、胃腸への負担も減らすことができます。

脳内のワーキングスペースに常に余白を残しておくことの大切さは、先述したとおりですが、**お腹にも余白を常に残しておく**ことを心がけたいものです。

「すぐやる人」は量よりも質にこだわった食事をすることで、心をいっぱいに満たしながら、食欲を満足させています。

食べたいだけ食べる、欲しいだけ抱え込む、などという考え方ではなく、自分に必要な数や量がどの程度かを見極めて、それ以上に欲を出しません。「すぐやる人」は「足る」ということの重要性を理解しているからです。

また、食べすぎると記憶力が低下するので、学習能力が低下してしまうことがわかっています。

ケンブリッジ大学のチームが心理学誌に発表したのですが、肥満度を示す体格指数（BMI）が高くなればなるほど記憶力が悪くなるということなのです。肥満の問題で言えば、昨晩の食事の内容と食べた量を鮮明に思い出せるかどうかに関係してきます。

その発表内容には次のようなことも報告されています。

あるテストの結果、肥満の人は標準体重以下の人に比べ、平均で15％も成績が悪かったそうです。

また、ＢＭＩ値が高い人ほど記憶力が曖昧になる傾向が見られました。肥満の人は「満腹ホルモン」のレプチンの分泌をコントロールできていないようだ――。

食事をしてお腹がいっぱいになると、脂肪細胞からレプチンが分泌され、「もう満腹だよ」と脳に指令が伝わり食欲を抑えるのですが、肥満の人はレプチンの分泌がうまくいかず、満腹感を感じづらいがために食べ過ぎてしまうようなのです。

そして、このレプチンは記憶力にかかわる「学習ホルモン」でもあるのです。

太っている人は、食べたものへの意識が曖昧になってしまうので、間食が増えてしまいます。そして、食べ過ぎてさらに太り、レプチンの分泌を乱して食べる量をコントロールできなくなります。このように悪循環になってしまうということなのです。

自分の行動をしっかりと把握することができなくなってしまうリスクが高まり、これがさらなる「またあとで」や「もういいや」といった先延ばし思考を引き起こしてしまうのです。

私は子供の頃から太りやすい体質なので、満腹まで食べることを数回繰り返してしまうと、みるみるうちに満腹感を感じづらくなってしまいます。結果として脂肪が増えて、自分自身のコントロールを失ってしまう、ということをかつては繰り返していました。

しかし、八分目くらいで足りることを意識づけると、常に自分をコントロールできている感覚を感じることができるので、常に余裕を持った行動ができるようになりました。

詰め込みすぎるのではなく、お腹に余裕を残しておくことは心の余裕にも繋がり、より的確な判断ができるようになります。

燃料を積みすぎて身も心も重くなりすぎないようにしましょう。

31 すぐやる人は、質にこだわった食事を楽しんでいる！

32 すぐやる人は戦略的に睡眠を活用し、やれない人はなんとなく睡眠をとる。

「すぐやる人」は朝の時間をフル活用していることをお話ししました。ただ、朝の時間をフル活用するためのカギを握っているものがあります。それは睡眠です。

あなたは自分の睡眠のパターンを理解していますか。次の日にスッキリ脳がフル回転できる状態で1日を迎えるための睡眠の勝ちパターンを知っていますか?

「日曜日の夜についつい飲みに出かけてしまって帰りが遅くなってしまった。月曜日は朝から頭がぼーっとして無気力感にさいなまされる。身体もだるい。何もやりたくないし、何も考えられない――」

こうなってしまっては、まさに「やれない人」の習慣にとりつかれてしまいます。

長時間眠らないと脳が回復しないロングスリーパーや、逆に3、4時間の睡眠でも次の日をスッキリと迎えられるショートスリーパーを除いて、通常は6時間以上の睡眠は確保したいところですが、睡眠の長さは人によって大きく異なります。自分にとっての最適な長さを探すことがベストだと言えます。

意志力は睡眠をとると回復しますが、**一般的に6時間未満の睡眠は意志力の回復を妨げ、誘惑に負けてしまう可能性が高くなります。**あなたにとって最適な睡眠を確保することさえできれば、誘惑に負けないように前頭前野がうまくコントロールしてくれるようになるのです。

そして、それ以上に重要なことは、早起きするためには早寝をする必要があるということです。

俳優の哀川翔さんは、

「みんな朝早くに起きられないって言うけど、答えは簡単だよ。早く寝ないからでしょう。で、早く寝られないっていうのは、早く起きてないからだよね。『早寝早起き』っていう言葉は間違い。『早起き早寝』が正解でしょ」

と仰っていますが、まさにその通りで、とにかく早起きすることを徹底することから始めてみましょう。そうすれば自然と夜は眠くなる時間が早くなっていきます。

私の場合は23時頃ベッドに入り、朝5時に起床すると、脳がスッキリとした状態で1日に臨むことができます。良い睡眠ができたときは、起きた瞬間から頭がフル回転していま す。起きた瞬間から仕事や原稿のアイデアがどんどん湧き出てきます。たいてい9時くらいまでは脳が活発に機能していることを感じるので、この間に大きな課題をどんどん進めていきます。

そうすると自分で、今日という1日をコントロールできている瑞々しい感覚が湧いてきて、さらなるエネルギーに繋がります。

朝起きるときは、なるべく目覚まし時計は使用しないほうがいいでしょう。目覚ましは脳に良くないのです。

もちろん最初は目覚まし時計に頼ってもいいでしょう。ただそのときに注意したいのが、朝日がちゃんと差し込むようにすることです。太陽の光には体内時計を活性化させる働きがあるので、身体に日光の感覚を覚えこませるためにカーテンは閉めきらず、ある程度の日光が入るようにしておきましょう。

そして、「すぐやる人」たちは週末も同じ時間帯に起きます。週末の朝、起きる時間を遅くしまうと、体内のリズムが狂ってしまって、月曜日の朝がつらくなってしまうからです。それでは、1週間のスタートダッシュがうまくいかなくなってしまいます。

睡眠はリズムであり、習慣でもあるので、その場その場のなりゆきに任せていてはなかなか自分自身をコントロールすることは難しいのです。

睡眠とは1日の終わりではなく、次の日の始まりだと捉えてはどうでしょうか。

睡眠は明日の命運を握っているのだというくらいの意識が、明日をより良いものにするための第一歩です。

32 すぐやる人は、週末も同じ時間に起き、体のリズムを整えている！

33
すぐやる人は呼吸で判断の精度を高め、やれない人は呼吸を整えない。

「さあ、やろう」と思った瞬間に、メールやＬＩＮＥのメッセージが届いたとします。「とりあえずこれに返信してから、やろう」と思って、結局やらないまま終わってしまっていませんか？

このようなときに判断を下すのが前頭前皮質です。前頭前皮質はこの例のように「今すぐやる」か「やらない」の板ばさみにあったときに、決断を下します。

本来やろうとしていたことを優先し、先延ばしをしてしまう原因をシャットダウンするよう、前頭前皮質をコントロールできないと、楽なほうに流されていってしまいます。

すべきことをやる力と、すべきではないことをやらない力を司っているものがその前頭前皮質です。そして、前頭前皮質の機能は呼吸によって活性化させられます。つまり、自分の行動をコントロールするために、呼吸は重要な役割を担っているのです。

様々な研究でも、**呼吸を整えることは脳を活性化させる**と言われています。

その基本は「腹式呼吸」です。

しっかりとお腹に酸素を送り込むように、ゆっくりと吸い込んでゆっくりと吐くことです。それも鼻呼吸のほうが重要で、３〜５秒くらいかけてゆっくりと鼻から息を吸い、次に10秒ほどをかけて、口からゆっくりと息を吐きます。これを何度か繰り返すことで、脳に新鮮な酸素が送られ、脳がリラックスできるのです。

呼吸のペースを遅くして、たっぷりと鼻から空気を吸って、ゆっくりと吐き出す——。

『ＥＱ こころの知能指数』（講談社）でも著名なアメリカの心理学者ダニエル・ゴールマン博士は、研究を通して、呼吸を整えることで、すぐやる力を活用することができるようになると言っています。

呼吸に集中し、呼吸を数えるだけでエネルギーを集中させる力が高まるのです。

無理に呼吸を整えることを意識する必要はありません。自然な呼吸の流れに意識を集中させるだけでいいのです。すると揺らぎそうだった判断が、自分の中から消えては戻ってくるようになります。「メッセージに返信しようか。今はやめたほうがいいかな」という葛藤が消えては戻ってくるのです。戻ってきたらまた呼吸に意識を集中させて、ということを1分繰り返すだけでも判断力が高まり、やろうとしていた重要なことに意識を向けることができるようになります。

これは葛藤が起こったときだけではなく、普段から呼吸に集中するトレーニングを習慣化させることによって、より良い判断ができるように前頭前皮質が鍛えられていきます。

そして今、世界中のリーダーから注目を集めているのが瞑想です。スティーブ・ジョブズやビル・ゲイツ、イチロー選手、長谷部誠選手や稲盛和夫さんなど、多数のリーダーが瞑想の実践者として知られています。そして、Google、P&Gやゴールドマンサックスなどの企業が、研修プログラムとして瞑想を取り入れています。

INSEAD（欧州経営大学院）の研究者らのリサーチでも、15分間呼吸に集中した瞑想を行なうと意思決定力が高まるという結果が出ています。何らかの選択肢を前にしたときに、呼吸の力を使うことで冷静な判断ができるのです。

瞑想のやり方と言っても様々なやり方がありますが、**落ち着ける場所で目をつむり、た**

だ呼吸に意識を集中させることで「すぐやる力」を引き出すことができます。5分ほど瞑想をしたいところですが、最初は時間が長く感じてしまうかもしれないので3分からでも効果は感じられるはずです。

様々なことに迷いを感じていたときにも、脳内がリセットされリフレッシュし、冷静さを取り戻し、正しい選択ができるようになっていくはずです。

世界のリーダーたちが実践しているように、「すぐやる人」はここぞという大切なとき、判断に迷ったときに呼吸を整えますが、「やれない人」は呼吸を整えることの威力を知りません。だから、呼吸を整えることなく、冷静な判断ができない状態で焦って判断してしまい、後悔することが増えてしまうのです。

「したくない気持ち」と「しなければならない気持ち」の板挟みになってストレスを感じたときこそ、呼吸を整えてみましょう。「呼吸ひとつでそんな効果はないだろう」と思った人こそ、一度試してみる価値があるかもしれません。

33 すぐやる人は、呼吸を整えることで心を整えている！

34

すぐやる人は姿勢が良く、やれない人は背中が丸い。

猫背の人が増加していると聞きます。その原因としては長時間のパソコン操作やスマホが大きいと言うのです。確かに街を歩いていても、電車の中でもスマホに集中して、背中が丸くなっている人が増えているように感じます。

しかし、多くの研究でわかっているのですが、**姿勢は私たちのムードに影響を与えます。良い姿勢はポジティブなムードを生み、悪い姿勢はネガティブなムードを生みます。**

ドイツのヴィッテン・ヘァデッケ大学の臨床心理の専門家ヨハネス・マハラック博士の研究では、被験者に良い姿勢で幸せそうに歩いてもらったり、悪い姿勢で落ち込んだように歩いてもらったりして、40語の単語を見せました。

その後、さらに8分間歩いたあとに、40語のうち思い出せる限りの単語を被験者に思い出してもらったのです。

すると、前かがみで、肩を落とした歩き方をした人は、ネガティブな単語ばかりを思い出すことがわかりました。一方で、楽しそうな歩き方をした人は、ポジティブな単語を多く思い出したのです。

つまり、背筋をピンと張った良い姿勢で歩くことで私たちは肯定的になれるのです。背中が丸いと、ネガティブな出来事を思い出し、落ち込んだ気分になりやすいのです。するると、後ろ向きになってしまうので、つい先延ばししてしまう「やれない人」になりやすくなります。

ハーバード大学の社会心理学者エイミー・カディは、胸を張って座ったり立ったり2分間した人は、体を屈めていた人と比べて、ストレスホルモンであるコルチゾール値が低下し、男性ホルモンであるテストステロン値が上昇したと報告しています。

胸を張ることで、体内ホルモンの観点からも、ストレスに強く、前向きになれるということなのです。

このように多くの実験において、姿勢が私たちの心に及ぼす影響について証明されていますが、「すぐやる人」は、やはり姿勢が良いのです。背筋がピンと伸びており自信があるように見えます。

私たちの脳は全身を流れる血液量の約20％を消費します。それと同じく、脳は全身の酸素の約20％を消費するのです。

そして、脳は血液が運ぶブドウ糖と酸素をエネルギー源として働きます。姿勢が悪いと血管を圧迫してしまうので、血管が細くなってしまい、ブドウ糖と酸素が十分に運ばれず、脳が働かないということなのです。

その結果、判断力が鈍り、先延ばしをしやすくなってしまいます。

私は姿勢が悪かったこともあり、中学生にして椎間板ヘルニアを患ってしまいました。今でも姿勢が悪いと腰に疲れがたまりやすく、腰が疲れると足がしびれてきます。歩けないほどのしびれがくることもあるのです。

だから、姿勢を整えるためには、腹筋や背筋などの筋トレを定期的に取り入れるようにして背筋がピンと伸びるようにしています。ときには鏡の前に立って、自分の姿勢チェックもするようにしています。

研究結果からもわかっているように、**良い姿勢をキープするように心がけると、とても前向きになれて、自分に自信が持てます。**それによってテキパキと行動がとれるようにもなるものなのです。

姿勢が良いと第一印象も良くなるので、やっぱり姿勢が良いことは良いことづくしです。

ときには鏡の前に立ち、髪型や顔のチェックと合わせて、姿勢のチェックも取り入れてみたいですね。第一印象が良くなるだけでなく、心も前向きになれるはずです。

第6章

時間・目標管理 編

35 すぐやる人は数字のある目標を決め、やれない人はなんとなくに流されてしまう。

あなたは目標を持っていますか。そして、それはどれくらい明確なものなのでしょうか。

「すぐやる人」は、目標に数字を取り入れることで行動をコントロールしています。

一方で「やれない人」というのは、すべてが感覚的になりすぎていて、安定した行動力を発揮することができなくなっています。

単純に考えてみればわかります。

あなたは旅行に行こうと思って旅費を調べてみたら、およそ50万円が必要になったとしましょう。旅行へ行くためには50万円貯めないといけません。

このように数値のある目標を設定すれば、休日に店先で目に止まった靴を衝動買いしてしまいそうになっても、「旅行のためにここは我慢しよう」とその衝動を抑えることができるはずです。

つまり、感覚的に使おうとするのではなく、目標のために自分の欲をコントロールすることができます。

これは数字で目標を設定していてたからこそ、今は我慢しなきゃいけないときなのか、それとも今はまだ余裕があるときなのか、ということを判断することができるようになるのです。**目標が基準を与えてくれている**わけです。

一方で、このような数値を含めた目標がないと、その場の雰囲気やそのときの気分などに、「なんとなく」流されてしまいます。

そもそも人間というのは、頑張りたくない生き物なのです。

「ラクしてうまくいくならば、なるべくラクをしたい」

そう思うことは自然なことなので、その気持ちを否定するのではなく、その気持ちをどうすればコントロールできるのか、と考える基準を持つことが大事です。それを習慣づけていけばいいのです。その基準は数値を含んだ目標でなければなりません。

数字を上手に使えば自分をコントロールしやすくなります。もちろん、その数字が漠然としたものでしかなく、説得力がなければ、自分をコントロールすることは容易ではないでしょう。

また、私は本来太りやすい体質です。留学していたケンブリッジから帰国して実家で体重計に乗ったら86キロ。自己ワースト記録を大幅に更新していたほどの体重でした。

そこで、大学院のコースが終わってから卒業式まで3カ月近くのブランクがありましたので、その間に20キロ痩せることを決意したのです。数値を含めた目標設定です。

具体的には、まず週3回ジムに通って有酸素運動を60分。食事はカロリーではなく、脂質を1日50グラム以内に抑えるという数値の目標を設定しました。

さらに、有酸素運動をしているつもりでも、実際には無酸素運動状態のときもありますので、心拍数の目標も設定しました。220から年齢（25歳）を引いて0・7をかけると、だいたい135前後が一番効果的な心拍数でしたので、その心拍数を有酸素運動中の目安としました。

すると、体重はグングン落ちていき、20キロのダイエットに成功。卒業式で3カ月ぶりに会ったクラスメイトは驚いていたことを覚えています。

このように数値の軸をしっかりと持って目標設定をすれば、1日単位での目標も具体的になります。

私はラーメンが好きですが、某ラーメンチェーンのサイトで栄養価表をチェックすると、その店のラーメンはスープを含めて脂質が60グラムを超えていることを確認したときは、さすがにあきらめがつきました。

数字で物事を捉える習慣をつけておけば判断力が高まり、その結果として、とても的確な行動がとれるようになります。そうすると、もっと自分に自信が持てるようになって、どんどんプラスの行動のスパイラルが大きくなっていきます。

曖昧な目標は心理的なプレッシャーを生みません。だから、なかなか成果には繋がらないのです。

目標を持つこととは、基準を作ることなのです。基準ができれば、すべての行動にスピードが生まれます。 判断に迷わなくなるからです。

だから、「すぐやる人」は感覚ではなく数値という圧力をうまく利用して行動をコントロールしているのです。ぜひ目標には数値をつけ足しましょう。

35

すぐやる人は、明確な目標を立てている！

36 すぐやる人はbeとdoを意識し、やれない人は目標だけを追いかける。

先ほど目標を設定することの大切さについてお話をしました。特に、数値を伴った目標を持つことが重要で、それによって行動に軸ができるメリットもお話ししました。

しかし、目標は達成したら完了します。つまり終わりが来ます。5キロ痩せるという目標は5キロ痩せれば完了となってしまうのです。

だから、目標だけを追いかけるよりも、目的も明確にしておけば、さらに大きな行動の軸を獲得することができますし、目標を目標で終わらせないためにも不可欠なのです。

私は目的と目標の違いを考えるときは、**目的を「状態」、目標を「行動」という切り口で考えています。**

「5キロ痩せる」という目標を設定したとします。このように、「○キロ痩せる！」という目標を口にする人は多いでしょう。

しかし、では何のために5キロ痩せるのかを決めていますか？

それが目的の設定です。目的を設定するときには、未来像がどれくらいイメージできているかが重要になるということなのです。

5キロ痩せた自分はどんな自分ですか？ 今の自分と何が違うのでしょう？ 鮮明にイメージできますか？ そして、そのイメージした自分の未来像にワクワクできますか？

私の場合は、夏に水着をビシッと着るために、ズボンの上に乗っかったようなお腹がなくなった自分をイメージしました。シックスパックが見えるほどムキムキではなく、お腹のラインが綺麗に見える自分です。

そのような自分をイメージしているわけなので、当然5キロ痩せたとしても、それを維持する必要が出てくるわけです。それによって目標を達成したあとにも行動の指針が明確に持てるわけです。

また、私は大学卒業後、イギリスへ留学したのですが、どこの大学に入学したいかは明確に決めていませんでした。そもそも大学院に入学できるのかもわからなかったので、その時点ではイギリスの大学院に進学することが目標だったのです。最初の1年間をケンブリッジにある語学学校で過ごしました。街全体が大学に覆われたようなアカデミックだけど、のびのびとした空気を毎日吸っていると、ある日、1年後自分はここの大学院で学んでいるのだということを鮮明にイメージできたのです。

留学の目的がケンブリッジ大学で学んでいることに、シフト・チェンジしました。ケンブリッジ大学で学んでいる自分です。

そうしたら、求められる英語の試験のスコアがひとつの具体的な目標となりました。自分の未来像を鮮明にイメージしながら目的を設定したからこそ、目標が具体的になり、日々の行動の軸が明確になったのです。

このように、**はっきりとした未来像があるからこそ、目標が明確になり、主体性を帯び、今やるべきことがはっきりする**ものです。未来像がイメージできないから、目標を立てても、気づいた頃には自然消滅していたりしてしまうのです。

このように、自分の未来像を明確にイメージすることこそが、目的には不可欠だと思っています。「すべきこと」を考えることは日常たくさんあっても、「あり方」を考えることは意外と少ないのではないでしょうか？

あなたの未来像は「どういう自分であるか」なので状態の「be」。それを達成するために「何をすべきか」なので「do」なのです。鮮明に「be」をイメージしてみましょう。

目的と目標を明確に持つということは、すべきことと同時に、しないことを決めるということなのです。お腹をへこませたいならばケーキなどの脂質の高い食べ物は食べないという選択をします。このように判断のよりどころができますので、迷う余地がなくなるということです。だから行動のスピードが速くなります。

「すぐやる人」は1年後、3年後、5年後、10年後……と、自分がどういう存在でありたいかということを意識しています。遠い未来だから、とはっきりとイメージができないならば、無理にイメージする必要はありません。

しかし、1年後や3年後の自分はどうありたいかを考えることくらいはできるでしょう。

36

すぐやる人は、未来像を明確にして、目標を立てている！

37

すぐやる人は次の日の準備をし、やれない人は流れで1日を終える。

「すぐやる人」は、1日のスタートダッシュは前日の夜に決まり、1週間のスタートダッシュは先週末に決まると考えています。

なぜなら、朝の脳が活発な時間帯に最優先タスクをこなせば1日にはずみがつくので、この時間帯をフル活用することで自分の人生をコントロールできているように感じられるからです。

予定を考えずに、毎日、目に止まった順にその場の思いつきで仕事をこなしていたら、「あれを忘れていた！」ということが起こり得ます。ふと重要な仕事を忘れていたことに気づいたときには、もう大変。「あれも、これも、やらなきゃ」と脳内のワーキングメモリーがいっぱいになってしまい、整理ができなくなって、やる気が低下してしまいます。

また、当日の朝にやることリストを書き出していく人もいますが、それも注意が必要です。それだと「この書類、間に合うかな？」「あれもやらなきゃいけないのに、忘れていた」と、思っていた以上に時間が足りないことに気づいて、結局は中途半端になってしまうことに繋がりかねないのです。

「すぐやる人」は、**1日の終わりが翌日の始まりだと考えているので、帰宅前に資料の整理をしたり、机を整理整頓したりしています。**

そして、やることリストを作成し優先順位をつけて、翌日の流れを30分単位で予定を調整し、書き出しておくことで、翌日の朝一番から取りかかれるように頭と心の準備をしておきます。この習慣を持っておくことで仕事の効率性を高めます。

こうすることで、気持ちに余裕が生まれます。私たちの脳は睡眠中に脳内整理をするので、翌日の流れがすっきりとイメージできていると、脳内の整理がよりスムーズに進み、頭がよりすっきりしている状態で朝を迎えられます。

そして、朝一の頭がさえている効率的な時間をタスク整理に使わずに、ワーキングメモリーの空きをフル活用できるので、優先順位の高いタスクに一気に取りかかることができ、アウトプットのレベルが劇的に向上するのです。

何をするかを選択し、意思決定することは脳を疲労に追い込みますので、朝にそれをしなくていいというメリットは計り知れないほど大きいのです。

ただし、翌日のスケジューリングをする中で注意しておきたいことがひとつあります。それは、「詰め込めすぎない」ということです。もっと言えば、**余白を必ず残しておくこと**です。

特に、今の時代は予測不可能なことが次から次へと起こります。それが起こったときに余白がないということは、対処する余裕がないということなので対処に戸惑ってしまいます。

少し余白を作っておくことで「企画書を書く予定だったのに、不測の事態が起こってしまった」と焦ったとしても、午後に予定していた優先順位の低いものを翌日に回して調整することで対応することができます。

私はかつてはその日の思いつきでタスクに取りかかっていましたが、うまくいくはずもありません。

締め切りが近いものにプレッシャーがかかり、締め切りに追われるように、タスクを進めていたのです。すると、長期的な取り組みで重要度の高いものがどんどん先延ばしされていってしまって、目先の仕事しか、形になりませんでした。

ところが、たくさんのビジネス書を読むと、多くの成功者たちが朝に優先順位の高いタスクをこなしていることを知り、そのためには朝に何をするかを明確にしておくことの重要性を思い知りました。それからは1日の使い方が大きく変わったのです。

「すぐやる人」は徹底的に朝をデザインします。そのためにも翌日の「すべきことリスト」を作成し、流れをイメージしておきます。

37 すぐやる人は、余白を意識して時間管理をしている！

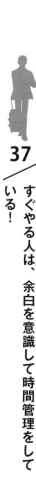

38 すぐやる人は優先順位で仕事を進め、やれない人はマルチタスクでパンク寸前。

たくさんの仕事を抱え込んでしまい、ひとつのタスクに取り組んでいる最中でさえ、他のいろいろなことが気になって、複数のことを同時進行で進めてしまっていませんか？

結果としてどれも中途半端になってしまって、また不安が増大していく――。

そんな負のスパイラルにはまってしまうと、やらなければならないことに追われている気分になっていることと思います。スタンフォード大学の研究でも、重度のマルチタスク作業者はパフォーマンスが低下するとわかっています。

「やれない人」は**やれない状況を整理しないままに、気合いと根性でなんとかしようと思ってはみるものの、パンク寸前**で、でも、またそれもなんとか乗り越えようと頑張ってしまう傾向があります。

先にも紹介しましたが、多すぎる選択肢は人を疲れさせます。人から集中力とエネルギーを奪っていく大きな原因となっているのです。

すべてのことが中途半端になってしまうことで、いい結果がついてこず、せっかくの頑張りも水の泡となってしまいます。「すぐやる」ことを習慣化するためには、やったことにきちんと結果がついてくるようにしなければなりません。

では「すぐやる人」はどうしているのか。タスクを書き出し、頭の中から取り出したら、タスクへの優先順位付けを徹底します。そのときに使う指標は次の3つです。

自分にとっての重要度、緊急度、必要時間。

まずは、重要度と緊急度でマッピングをしていくといいでしょう。

①緊急でかつ重要であること
②緊急ではあるが重要ではないこと
③緊急ではないが重要であること
④緊急でも重要でもないこと

④の緊急でも重要でもないことに関しては、なるべくやらないという選択がとれるので

あれば、排除することが望ましいでしょう。「なんとなく友達に連絡をしてみる」などもこれにあたります。メッセージのやりとりが続いてしまって、重要なことに取り組めなくなってしまったということもあるでしょう。

①の、重要で緊急度の高いものから、優先的に取りかかる必要があります。中でも重要度が高いけれども、すぐに片付けられるものからこなすことで、リズムがつけやすくなるからです。そして時間がかかるものへシフトしていきます。

②は、自分にとってはあまり価値がないけれど、やらなければならないことです。重要度が高くないので、誰かに依頼できるものは依頼して終わらせたいですね。お金で時間を買うポイントもこのタイプのタスクでしょう。外注したり、人を雇ったりすることで、重要度の高いものに時間を割きたいところです。

そして、この優先順位付けで重要なのが③です。どうしても緊急度が高くないので、先延ばしにしてしまいます。優先順位付けをしておかないと、重要度が高いのに取りかかれなくなり、緊急度だけで追われる毎日を過ごしてしまいます。

そうならないためにも「すぐやる人」は**緊急度は低いけれど、重要なタスクにしっかりと時間を割くために、優先順位付けをしています。**

このように、自分の仕事を4つに分類してみると、いかに「自分にとって重要度は低いけれども、緊急度が高い」仕事ばかり行なっているかに気づき、「緊急度は低いけれど、自分にとって重要度が高い」ものに割く時間をちゃんと確保できていなかったということにも気づくことができるはずです。

「すぐやる」人は、エネルギーをすべてのタスクに均等に割り当てるのではなく、優先順位を決めて重要なものに、多くのエネルギーを集中させているのです。

「すぐやる」ものは気合いとエネルギーを必要とします。余計なものに力を入れる必要はありません。集中するとは、何を捨てるかを決めることなのです。一生懸命ではなく、一所懸命なのです。

優先順位を決めて重要度の高いものからこなすことで、成果に繋げることができるようになるはずです。

38 すぐやる人は、優先順位を明確にして、物事を進めている！

39

すぐやる人は積極的にオフラインになり、やれない人はいつもオンライン。

今はとても便利な時代で、調べたいことはスマホやパソコンで、すぐに検索できてしまいますし、いつでも友人や家族と連絡をとることができます。

「自分だけ取り残されてしまうかもしれない」
「早く返さないと、悪い印象を与えてしまうかもしれない」

と、世界中にも「ノモフォビア」という現象が流行っていますが、No（ない）Mobile（携帯）Phobia（恐怖症）という意味で、携帯やスマホから手が離せない症状を指します。
心理学者アブラハム・マズローも提唱しているように、社会と繋がっているという感覚は私たちの基本的な欲求のひとつなので、このようなデバイスを手放せない人が多いのはうなずけます。

そして、なるほどスマホやパソコンの持つ「いつでも」「すぐに」というキーワードたちは、私たちの人生に快適さを与えてくれるのですが、一方で行動に計画性がなく衝動的になってしまう人が多くなったのではないでしょうか？

特に、**人は目にしたものから影響を受けやすく、目に飛び込んできたものによって、衝動的な行動は引き起こされることが頻繁にあります。**

仕事や勉強など、何かに集中しようと思っているときでさえ、メールやＬＩＮＥが気になって、ついつい触ってしまいます。それによって、本来集中すべきものに集中できず、気づけば思ったよりも長い時間がそれに奪われてしまうこともあるはずです。

本来、情報を手に入れたり、誰かと連絡をとったり、書類を作成、管理したりするためのツールであったものに振り回されてしまうのは、本末転倒です。その結果、やろうと思っていたことや、やらなきゃいけないものが後回しになってしまうでしょう。

「やれない人」はどうしてもツールに振り回されてしまいますが、「すぐやる人」はルールを作ってオンラインとオフラインのメリハリをつけています。

それでは、「すぐやる人」は、どのようなルール作りをしているのでしょうか?

たとえば、何かに一気に取り組みたいときや集中したいときは、パソコンであればメールは閉じておき、スマホならば機内モードにして机の中や別の部屋などに置いて、視野に入らないようにします。やはり、目に止まると「あ、そう言えば」と、どうしても気になってしまうからです。

精神的な力ではなく、物理的に、あなたから隔離するということが効果的なのです。

また、SNSは毎回ログアウトを習慣にすることで、ログインし直すという面倒なひと手間がクッションとなってSNSを開く頻度を減らすことができます。スマホならば本当に必要なアプリ以外は定期的に消すようにします。

「そう言えば、最近コレ見てなかったな」という考えが頭をよぎってしまったら、片付けの途中で古いアルバムを開いてしまうのと同じように、時間を浪費してしまいます。

私は受験生を指導することもありますが、成果をきっちり出す学生たちの多くはSNS

のアカウントを消去することで、ついついSNSで時間を浪費してしまうことを強制的に排除していたりします。そうすることで、「SNSを消去して頑張ろうと決めたんだから」というちょっとした強制力が働きます。

さらに、どうしても必要なもの以外は、通知をオフにします。もちろん、どうしても必要なものは通知をオフにしてしまうことで仕事に影響が出ることもあるでしょう。仕方ないと思いますが、必要最低限に止めておきたいですね。

一気にやってしまわないといけないような仕事やミスを減らすためには、やはり気合いが必要になります。せっかく気合いを入れて取り組もうと思ったときに、簡単に邪魔をされてしまっては、先延ばしを繰り返してしまいます。利便性と引き換えに衝動的にならないように、デバイスのマネジメントも環境作りのひとつです。

39 すぐやる人は、物理的に「繋がらない」状態を作っている！

40 すぐやる人はサティスファイサー、やれない人はマキシマイザー。

ある試験において80点が合格点だとしましょう。
あなたは80点を目指しますか？
それとも１００点を目指しますか？

アメリカの心理学者バリー・シュワルツ博士によれば、私たち人間は、自分にとって最高の選択を望む「マキシマイザー」と、まずまずのところでも満足する「サティスファイサー」の2種類に分けられるそうです。

マキシマイザーは満点を目指すタイプなので、ひとつひとつのことについてあれこれ迷ったり悩んだりします。ようやく何かを選択しても「もっと他にいいものがあったのでは」と、なかなか満足することができません。

それどころか、「もっとできたはずだ」と、後悔することも多いのです。それ以上に大きな問題は、迷ったり悩んだりする時間が長く、行動をとるまでに長い時間を費やしてしまうか、場合によっては行動できずじまいにすら、なってしまうことです。

「やれない人」の特徴のひとつとして、完璧主義を目指してしまうことが挙げられます。もちろん、誰だって100点をとることはうれしいし、完璧なものにあこがれを抱いてしまうでしょう。

しかし、その思考が大きなブロックとなって行動を妨げていることも考えなくてはなりません。その仕事が終わった後も、それについて「ああすれば良かったかな。こうすれば良かったかな」と悩み、次に移ることも遅くなってしまいます。

「すぐやる人」は、雑にやるということの大切さを理解しています。いわゆるサティスファイサーで、**80点でいいものは80点でいいと思えることができるので、行動が早くなります。**

日々の活動の中で100点を求められるものは限られています。

そのため、「すぐやる人」はまず合格点を設定します。

たとえば、会議の議事録を作ると言っても、一語一句聞き漏らさない100点の議事録を作るのか、要点をまとめた80点のものを作るのか、どちらが必要なのかを、まずは明確にします。

一語一句を忠実に作成した議事録は一見100点に見えるかもしれませんが、逆に要点がつかみづらく、それを読む人にとっては30点かもしれません。むしろ80点くらいのもののほうが、読み手には100点かもしれません。

相手の期待を上回るという意味であっても、85点で十分でしょう。それ以上は、必要でもない時間と労力をかけることになってしまうのです。それで時間を浪費し、脳を疲れさせてしまっては、テンポよく仕事をこなすことができません。

「すぐやる人」は、**最初に目的を定めて、合格点を見据えて、その点数をクリアするのに必要最低限の労力のみをかけるようにしている**のです。

仮に素早く80点のものを仕上げて上司に確認してもらって、足りないものがあれば、そこで上乗せするくらいでいいのです。改善に改善を重ねればいいのだと割り切ることです。

私がたくさんの人々を指導して感じることは、「伸びる人」と「伸びない人」とを比較すると、「伸びる人」はまずとにかく雑にでもいいので取りかかります。そして、改善に改善を重ねながら、合格点をクリアするものに仕上げていきます。

これは、ペンキを塗るような感覚です。**一度で綺麗に塗るのではなく、何度も何度も重ね塗りをしてムラをなくしていくようなもの**です。

一方で、「伸びない人」は一度ですべてをやりきってしまおうとしすぎて、要点がつかめずじまいに終わってしまいます。だから、どこに力を入れていいかもつかめず、行動力が鈍ってしまいます。

もちろん、１００点しか許されないような仕事もあります。レジでお釣りを80点くらいの感覚で適当に渡されたら誰でも怒りますね。

だからこそ、それぞれのタスクの合格点を明確にして、まずはそれを満たすことがあなたにとっての１００点なのだと考えていきたいものです。

40

すぐやる人は、合格点を作り、その合格点を上回ればいいと思って行動している！

41 すぐやる人はやらない基準が明確で、やれない人はいやいや引き受ける。

「やることリスト」を作成している人は多いことと思います。「あれもやらなきゃいけない、これもやらなきゃいけない」「せっかく終わったのに、またやらなきゃいけないことが増えた」などと、やることはどんどん降ってきます。

ただ、やることに追われている毎日だと、本当にやる必要のないものまでついつい取り組んでしまって、時間が足りない、ということになってしまいます。

そこで、「すぐやる人」は、**やることを決めるだけでなく、やらないことも決めます。**

やらないことを明確にすることで迷うリスクを避け、無駄な選択で脳に負担をかけません。

また、やらなくてもいいことに時間を奪われないので、本来すべきことに時間を割り当てることもできるのです。

・テレビ番組は録画し、放送時間に見ない

・ラッシュ時の電車には乗らない
・脂質20グラムを超えるものは食べない（ダイエット時のみ）
・24時以降に寝ない
・他人の陰口を言わない

これらは私が決めている「やらないことリスト」の一部です。やらないと決めているので、やるかやらないかを選択する余地がありません。

「すぐやる人」は、やらない基準をはっきりとさせることで、他人に対してもきっぱりとNOと言います。**自分の人生をコントロールしている感覚を維持するためには、精神の自由が不可欠**なのです。それを可能とするのが、断る力です。

だから、「すぐやる人」は断るスピードが早いのです。

しかし、これは何も自分本位で断るのではありません。そのほうが仕事も人間関係もうまくいくことを知っているからです。「やだなぁ」と感じながらも、断ることへの抵抗を感じて、決断を先延ばしにしてしまいます。そして、結局は断る、というプロセスは相手に期待を持たせたまま、待たせてしまうだけなのです。

だから、「すぐやる人」は素直に、「今は必要ありません」「そのお話は引き受けることはできません」と素早く伝えます。相手をリスペクトしているからこその行動です。

一方で、臨床心理士のリンダ・ティルマンは、「特に自分に対して自信がない人ほどNOとは言えず、YESと言ってしまうクセがある」と言っていますが、「やれない人」はNOと言うことに大きな抵抗を感じてしまいます。

うまく断れないことで、不自由を受け入れてしまって、身も心も重くなっていき、ますます「やらない」サイクルに入ってしまいます。

「いやだなぁ」と思いながら、しぶしぶ依頼を引き受けたりしていると、また同じような依頼をされたり、場合によってはエスカレートした依頼をされてしまう可能性も十分に考えられますし、「やらない」サイクルは蟻地獄と化していくわけです。

アメリカの投資家ウォーレン・バフェットは「You say no to most things.」（ほとんどのものにNOと言う）という名言を残していますし、スティーブ・ジョブズは「人生の時間は限られている。誰かのための人生を生きて自分の内なる声がかき消されるようではいけない」と言っています。

断ることは、短期的に見ると、マイナスの影響が大きいように感じてしまうかもしれませんが、長期的な目で見ると別の形でいい関係性を継続していけるチャンスが出てくるものなのです。ＮＯと言ったからといって互いの関係が終わってしまうようなものでもありません。特に、相手を拒絶するのではなく、提案に断りを入れるだけだからです。

「やれない人」は、やらないでもいいことに振り回されてエネルギーを消耗し、ストレスを溜めてしまって、本来やるべきことをこなすためのエネルギーを奪われてしまっています。これが先延ばしをしてしまう原因となっています。やらない基準が明確ではない人は、「やることリスト」と同様に「やらないリスト」を作成してみることで、時間とエネルギーを有効活用している感覚を取り戻すことができるはずです。

41 すぐやる人は、素早くやらないことを決め、それを守っている！

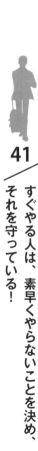

第7章

行動 編

42 すぐやる人はマネをすることをいとわず、やれない人はオリジナルにこだわる。

あなたにはお手本と呼べる存在がいるでしょうか。そして、そのお手本からどのくらいマネし、どのくらい学んでいるでしょうか？

「すぐやる人」は**マネをすることをいとわず、素直にマネをしながら技術や知識を習得していきます。**

落合博満さんは著書『采配』（ダイヤモンド社）において、

「自分がいいと思うものを模倣し、反復練習で自分の形にしていくのが技術というものではないか。模倣とはまさに、一流選手になる第一歩なのだ。大切なのは誰が最初に行なったかではなく、誰がその方法で成功を収めたかだ」

と仰っていますが、私たちは技術や知識を身につけようと思ったらお手本が必要です。モデリングとも言いますが、お手本をマネることが成長の第一歩なのです。

お手本を見つけたら、しっかりと観察をします。考え方や行動を、です。考え方は表面的ではつかめないこともあるので、お手本となる人に質問してみます。そして、自分の中に取り入れたいものを徹底的にマネをしていきます。

何もオリジナリティを出してはいけないということではありません。まずは、それを捨てて、模倣する、つまりマネをします。これが第一歩だということなのです。

たとえば、レシピを思い浮かべてみてください。材料や手順が説明されていますが、これはまさにうまくいった人のマネができるためのものです。作ってみておいしかったら、また作ってみる。これを繰り返していくうちに、レシピを見なくても作れるようになっていきます。そういうものをたくさん増やしていくことで、あれとこれを組み合わせてと、アレンジすることもできるようになっていきます。

ところが、料理初心者の人が、レシピをまったく見ずにケーキを焼くといったらどうでしょうか？

こんなおそろしいことはありません。何から始めていいのかも、何が必要なのかも、全体像の流れをつかむことも、相当難しいものです。すると、よくわからなくなってしまって、やらなくなってしまいます。

「守破離」という言葉を聞いたことがある人もいるでしょう。千利休が茶道を通して体得したと言われている、人がある道を究めるステップのことです。

「守」とは習ったことを徹底してマネる段階。モデリングするということです。「破」とは「守」において型を習得していったものに、自分ならこうするという思いを加えて型にアレンジを加えていくことです。「離」とはオリジナルを確立していく段階のことです。

「すぐやる人」というのは、基本を大切にします。何事も始めが肝心。いきなり我流を通してしまうと、変な型が身についていてしまうからです。染みついた習慣や型は取り除くことが難しくなります。だから、最初にいい型を習得することにこだわります。

いい型を身につけるためにはマネをすることが効果的です。

「やれない人」はマネをすることに抵抗を感じます。マネをしてはいけないと考えてしまう傾向もあります。そして、結局のところ考えすぎてしまっていて、せっかくいいお手本があっても、何もやらないまま終わってしまうのです。何かをやり始めたとしてもすぐに行き詰まってしまって挫折に終わってしまうこともあるでしょう。

マネをするという基礎を飛ばしてしまうということは、0からすべてを自分で考えなければいけないので、やることがどんどん増えていってしまいます。

0を1に変えることは1を10にすることよりも難しいと言います。自転車でも漕ぎ始めが一番大変です。**何事もスタートはパワーと勇気を必要とします。だからこそ、とにかくうまくいっている人のマネをしてみる**のです。

すると、いいスタートが切れます。いい型があるならばまずはマネをして、リズムをつかんでいくことに抵抗を感じてはいけません。

心理学でも、モデリングは、私たちが成長していくうえで、必要不可欠だとしています。個性はひとまず封印して、素直な心でマネをしてみる。遠慮せず、徹底してマネてみる。それが大きな第一歩となっていくことは歴代の「すぐやる」プロフェッショナルたちが証明しています。

42 すぐやる人は、最初に「いい型」を習得することに力を注ぐ!

43 すぐやる人は誰に出会うかで環境を選び、やれない人は何を学べるかで環境を選ぶ。

私たちは、成長し続けるためには学ぶことを継続していくことの重要性を、よく理解しています。

確かに、何を学ぶことができるのかは大切なことです。

しかし、学ぶ上で、どんな仲間を選ぶかのほうが、最終的にどんな人生を選ぶかに繋がっていくので、重要です。

だから、**「すぐやる人」は何を学ぶか以上に、誰と学ぶかを大切にしています。**今は無料のセミナーなどであふれていますし、そこでは学ぶこともあります。

ただ、有料セミナーとの違いは、集まってくる人の質、なのです。お金を払ってまでくる人は、それだけ学ぶ意欲が高く、成果に繋げる意識が高いのです。

無料だともちろん出費はないので、犠牲を払う必要がありません。だから何も取り戻す必要性がありません。一方で、お金を払ってまで学びたい人は、犠牲を払っているので、学びを成果に変えたいと考えています。

環境について、カナダ人心理学者アルバート・バンデューラはこんな実験をしました。子供たちを2つのグループに分けて、グループAには1人の大人が「人形」に暴力を振るっているシーンを、グループBには普通に大人が遊んでいるシーンを見せました。その後、各グループの子供たち1人ずつをおもちゃの部屋に入れ、その行動を撮影しました。その結果は、グループAの子供たちはグループBの子供たちに比べて、目に見えて攻撃的だったのです。

この実験から、観察学習が私たちに大きな影響を与えていることを結論付けました。他の実験でも、アニメよりもテレビ、テレビよりも実体験のほうが影響力が強いこともわかっています。

つまり、**私たちは環境に大きな影響を受けます。** 日々当たり前のように目にする環境に影響を受けるのです。意識が低い人たちといれば、自然と自分の意識も低くなりかねません。「こんなもんで大丈夫かぁ」と妥協してしまいます。誰と学ぶかによって、その環境が行動の基準として働くからなのです。

この程度で大丈夫だと思ってしまうことは、もちろんあなたから成長の機会を奪っていくことでしょう。

意志力が強く、自力でなんでもテキパキとできる人にとってはなんともないことなのかもしれませんが、私を含め、多くの人はそうではないはずです。だから、ダラダラした馴れ合いの関係の中に身を置いていては「やれない人」になってしまいます。

行動力の高い人たちの輪の中に入ることは大きなモチベーションを生むのです。

観察学習とは、他者の行動を見るだけで、その行動を学習してしまうことを言います。他者の行動やその結果をモデルとして観察することにより、観察している人の行動に変化が生じます。

だから、他者が何かにおいて成功やいい結果を収めることを目にすることで、私たちの自己効力感（自分にはできるという感覚）を高揚させることができ、行動力の向上にも繋がります。これは心理学では「代理強化」と言って、やはり誰と学ぶかは私たちの成長にはもちろんのこと、行動にも影響を与えるのです。

私も本を書きたいと思って、出版したい人向けのセミナーに通いました。

確かにお金はかかります。ですが、志の高い仲間に恵まれたのは、代償を払ったからです。本気で本を書きたい人たちが集まってきました。大阪のセミナーなのに、東京や名古屋から本気の人たちが集まってきていました。

そのような切磋琢磨できる環境に身を置いて、ぐずぐずしている暇はありません。やるしかない環境を手にすることができたのです。

やるしかない環境を作り出すことは「すぐやる人」にとっては不可欠です。だから、何を学ぶかも大事ですが、誰と学ぶのか、切磋琢磨し合える環境を探すことには労を惜しんではいけないのです。

43 すぐやる人は、行動力の高い人の輪の中に入る！

44 すぐやる人は記録を大切にし、やれない人は記憶に頼る。

キツネが木にたわわに実ったおいしそうなブドウを見つけ、食べようとして跳び上がる。ブドウはすべて高い所にあり何度跳んでも届かない。

キツネはそこでどうしたのか。怒りと悔しさで、

「どうせこんなブドウは、酸っぱくてまずいに決まっている」

と、食べられなかったことを正当化して、そのブドウを諦める――。


このように、私たちは自分の欲求と現実のギャップを、自分に都合のいい理屈で埋め合わせしようとします。

このメカニズムを心理学では「すっぱいブドウの理論」と呼んでいるのですが、私たちには、プライドを守るために、このように現実を都合のいいように歪めて認識してしまうクセがあるのです。

このメカニズムがあるからこそ、辛かったことや悔しかったことに気持ちの整理をつけて、気持ちを切り替えることもできます。

しかし一方で、その歪められた現実は、記憶の中でも歪んだままなのですが、自分の中では「そういうもの」として歪んだまま記憶に定着してしまいます。

たとえば、クレジットカードの請求を見て「こんなにも使ってたっけ?」と、びっくりしたことがある人は少なくないでしょう。

人の記憶というものは本当に曖昧で、自分には甘いほうへ歪めてしまうものなのです。

そして、現実に気づいたときにそのギャップにびっくりしてしまいます。

頑張っているつもり、ダイエットしているつもり、節約しているつもり、勉強しているつもり、まだ大丈夫なはず、試験はうまくいったはず、などといったように、「つもり」や「はず」ほどおそろしいものはありません。

アメリカの認知心理学者エリザベス・ロフタスのTEDでの「記憶のフィクション性」についてのプレゼンテーションは有名ですが、彼女の実験では事故現場の写真を2つのグループに見せました。

ひとつめのグループには「ぶつかった」と説明し、もう一方のグループには「激突した」と説明したところ、「激突した」と説明したグループのほうが、ことを大きく捉えていました。事故を起こした車のスピードを速く言った上に、窓ガラスが割れているとまで話したと言います。実際には、窓ガラスは全く割れていないのにです。

記憶は歪みます。勝手に解釈を加えたり、自分都合のいいように解釈するものなのです。

また、「自分はできるんだ」という感覚である「自己効力感」を高め、「すぐやる」パワーを身につけるためできることのひとつは、進捗を管理することです。理想と現実のギャップをできるかぎり正確に把握し、毎日をコントロールしている感覚を手に入れるために、「すぐやる人」たちはこぞって日記などの記録をつける習慣を持っています。

現実と毎日向き合う習慣を持っていないと、気づいた頃には現実と理想のギャップが拡大しすぎて修正できない、どうしていいかわからないという事態を招きかねないからです。

サッカー元日本代表の中村俊輔選手の代名詞と言えば芸術的なフリーキックでしょう。

私がちょうどケンブリッジへ留学していた2006年9月13日。スコットランドのセルティクに所属していた中村選手は、チャンピオンズ・リーグでマンチェスター・ユナイテッドから芸術的なフリーキックでゴールを決めました。そのシーンはホストファミリーの家にいた私が発狂しそうになったほどでした。

しかし、この世界を震撼させたゴールの裏にはサッカーノートの存在があったことは有名な話です。

中村選手は高校生になる頃、大きな挫折を味わい、その頃からサッカーノートをずっと書き続けているそうです。目標や課題、反省はもちろんのこと、不安や孤独、自信などの感情まで、日々感じた気持ちに素直に記録を続けているそうです。

「すぐやる人」たちは、記録を明日へのモチベーションの土台としています。私はＡ６サイズの小さなノートを使っていますが、メモ帳やアプリでもなんでもいいので、ちょっとしたことを記録していく習慣をつけてみませんか。

記録することは、現実を客観的に見つめ直す絶好のチャンスであり、次の行動へのステップとなるはずです。

44
すぐやる人は、今の自分の記録をし、次の行動のステップにしている！

45 すぐやる人はアウトプットで頭を磨き、やれない人はインプットマニア。

あなたは情報発信していますか？
学んだことを独り占めせずに誰かに伝えていますか？
「すぐやる人」は積極的にアウトプットします。**知り得た情報や知識をアウトプットすることで学びの質が高まるだけでなく、さらなる学びを生み出せる**からです。

頭で理解したことと実践できることとの間には大きな差がありますが、それ以前に学んだことは意外と曖昧なものです。ついついわかっているつもりになってしまうものです。

私は今、1年間で10を超える大学で講義をする機会があります。多くの学生が「わかる、わかる」と言わんばかりに首を縦に振りながら講義を聞き、幸いなことに「すごくわかりやすい説明でした」と言ってもらえることがよくあります。

確かに講義を聞いていて私の説明を理解してくれているのだと思います。

ただ、私の講義の目的は、私の講義を聞いた学生がスキルを身につけ、自分でもできるようになる実力をつけてもらうこと、なのです。

だから、必ず手を動かし、学んだことをアウトプットしてもらいます。

すると、理解していたつもりになっていたことがどんどん見つかります。そのままわかったつもりになっているままで、放っておいたらどうなるのかを考えるだけでも、ゾッとしてしまいます。

入手した情報や学んだことは、受け身のままで終わらせるのではなく、積極的にアウトプットしてこそ身につきます。

しかし、特定の誰かに教える必要は必ずしもないので、今だったらＳＮＳなどで情報を発信することもいいでしょう。

アウトプットしようとすると頭の中を整理しなければいけなくなります。**アウトプットしようとするだけで、小さな疑問点とも向き合わないといけなくなるので、学びや知識の質も向上します。**場合によっては、その知識は役に立たないという結論にいたるかもしれません。

吸収したら一度絞り出します。絞り出すことによってさらに吸収力が高まります。スポンジと同じで、水をたっぷりと吸収したら、絞り出さないとさらに吸収できなくなってしまうでしょう。

でも、人間の脳のいい点は、吸収したものを絞り出したら、知識や情報が整理されて重要なものだけが残るように、働いてくれるのです。

そして、**アウトプットを意識するから、インプットの質が高まります。**

この本を書くというアウトプットがあるからこそ、「すぐやる人」と「やれない人」の違いは何なのかを、これまで以上に考えるようになりました。

心理学者のコリン・チェリーが提唱した「カクテルパーティ効果」を知っていますか？「選択的注意」とも言われますが、たとえば、居酒屋などの周りがガヤガヤした場所でも、自分の名前を呼ばれたら気づきますし、誰かがあなたの話をしていればついつい耳に入ってきてしまいませんか。これを心理学では、「カクテルパーティ効果」と呼んでいます。

テレビをつけたまま、自宅で用事や仕事をしていたとしましょう。テレビをＢＧＭ程度にしか感じていなかったにもかかわらず、あなたの好きなタレントの声が聞こえただけで、意識が一気にテレビに向いてしまうことってありませんか。まさにこれもその例です。

日常に起こるすべてのことをフラットに受け入れているように感じてしまいますが、実は**私たちの脳は意識したものだけを選んで取り込んでいる**のです。特に自分に関連する情報には注意を向けます。

逆に言うと、意識していないことには気づきにくいのです。意識しようと思っても意識はそう簡単には変えられません。

興味のある分野、得意な分野でいいので情報や知識を誰かに伝えたりシェアするなど、アウトプットする習慣を持ちましょう。それだけで、あなたに飛び込んでくる情報が変わりますし、学びが深くなるものなのです。

46 すぐやる人は赤ペンを持って読書し、やれない人は読み切ることに集中する。

皆さんは今、こうしてこの本を読んでくださっていますが、本を読むとき、どのように読んでいますか？

気になるページの角を折ったり、付箋を貼ったり、赤ペンや青ペンを使ったり、いろんな工夫をしている人も多いのではないでしょうか？

「すぐやる人」と「やれない人」では本の読み方も違います。本を読むことはインプットで、知らなかった情報を自分の中に取り込む作業にすぎません。

しかし、「やれない人」はここで終わってしまう傾向があるのです。

本当は本を読むことが目的ではなく、本を読んで仕入れた情報を日常生活に活かす、仕事に活かすことが目的のはずです。

つまり、アウトプットすることに繋げていくためです。

「すぐやる人」は常にアウトプットのアンテナが立っているので、読書するときにも、どのようにアウトプットするのかを考えながら読みます。

「へ〜、これは知らなかった」

「今度、試してみよう」

こんな読み方ではインプットしたものがアウトプットには繋がっていきません。

これが「やれない人」、つまり本を読んで満足して終わってしまう人の特徴です。


では、「すぐやる人」になるためには、どんな読み方があるのでしょうか。

それは、赤ペンを使うことです。本を読みながら、赤ペンを持って、自分だったらどうすればいいかを考えながら、メモ帳も用意して、ときには直接本に書き込みながら読みます。

色はムードに影響を与えます。

赤は活力や情熱をイメージする色で行動力をかき立てる効果があります。バーゲンやセールの広告やポップに赤い文字が多いのは、赤を入れることで売り上げが20％前後も違うとマーケティングの世界では言われているほどだからなのです。つまり、「買う」という行動を促すことができるわけです。

また、イギリスのダラム大学のラッセル・ヒル教授とロバート・バートン教授の研究によると、着る服の色はアスリートのパフォーマンスに影響を与えるということです。

４つのスポーツ競技を研究した結果、赤色のユニフォームを着たほうがより良いパフォーマンスを発揮するということがわかったと言うのです。つまり、赤い色がアスリートに活力を与えるということなのです。

赤ペンを使って、読書から仕入れた情報をどのように生活や仕事に活かすのかを行動ベースで書き込んでいく習慣をつければ、今以上に読書が効果を発揮することでしょう。

逆に、青色は集中力を高める効果を持つ色です。情報や勉強の内容をまとめたり、暗記したりするときには、青いペンが効果的であると言われています。

青色には心身を落ちつかせて集中力を助ける効果があるので、単純作業などを行なうときに集中力を保ちやすくなるということなのです。

行動力を高めるためには赤色、思考の整理をするときには青色、これをを使い分けることで読書の効果を高めることができます。

「行動力の赤」、「集中力の青」のように視覚を通して、色は私たちに様々な影響を与えているのです。

色を上手に使うことで行動力を高めることができるようになるはずです。

46 すぐやる人は、読書をして終わりではなく、行動に活かせるようにしている！

47

すぐやる人は復習で記憶を味方につけ、やれない人は超人的な記憶に挑む。

あなたは暗記が得意ですか？

暗記に対して苦手意識を持っている人は少なくないでしょう。研修や講義などでも暗記する必要のあるものが多くありますが、「頑張って覚えましょう」と言うと、「私は記憶力が悪いので……」という声をたくさん耳にします。

勉強でも仕事でも、暗記をしなければならないことはたくさんあります。もちろん一度ですべての情報をインプットできるならば楽ですが、実際のところは人間の脳は忘れるようにできているものなのです。

だから、そもそも覚えられなくて当たり前です。

「すぐやる人」は回数をこなすことで、覚えるべきことは覚えてしまう、ということを知っているので、1回目は軽い気持ちで取り組みます。「やれない人」のように「覚えられなかったらどうしよう」とか「覚えられるか自信がない」などということをいちいち考えず、とりあえずやります。そして、復習を徹底します。

「覚えないといけない」と自分を追い込んでも効果は知れています。**私たちの脳は、繰り返したものを重要だと認識して記憶に定着するようにできている**からです。

確かに、新しいことにどんどん進んでいくことはワクワクしますが、結局は使える知識にならないので、いざというときに挫折感を味わってしまいます。

「エビングハウスの忘却曲線」を知っている人も多いでしょう。ドイツの心理学者、ヘルマン・エビングハウスは、被験者に意味のない3つの羅列されたアルファベットを覚えさせて、その記憶がどれくらいのスピードで忘れられていくかを実験しました。

その実験の結果を、グラフ化したのがエビングハウスの忘却曲線です。そして、20分後に42％、1時間後に56％、1日後に74％、1週間後77％、1カ月後79％が忘れられてしまうという結果が出ました。つまり、覚えた直後に、半分近くの記憶を忘れてしまいます。

では、これを忘れないよう、記憶に定着させる方法は何か。それが復習なのです。復習するたびにその記憶は蘇ります。そして記憶の定着率はやればやるほどアップするのです。

だから**「すぐやる人」は忘れることを大前提にしています。**忘れてしまうものは仕方がない、繰り返しやる以外方法はないと思っているので、どんどん取り組んでいくのです。

これは何も暗記に限った話ではありません。新しいことにチャレンジするときは、マニュアルを読んだり、専門書を読んだりすることがあるでしょう。新しい情報があまりにも多すぎると、一度で理解することは難しいものです。単語もわからなかったりして、整理して読むのが精一杯、ということだってあると思います。

そのようなときも、「やれない人」は1回で理解してしまおうとするがあまり、一度つまずくと、苦手意識を持ってしまって、それを避けるようになってしまいます。

「すぐやる人」は、一度目はざっくりと読みます。全体の構成や流れをまずつかむためです。わからないことがあるのは大前提で、とりあえず前に進めます。そして2回、3回と読み直すことで、理解を深めていけばいいと考えているからです。

そして、このときに、暗記にせよ、新しい情報の理解にせよ、ポイントを挙げるとするならば、復習は少し時間をあけるということです。同じ日にどんどん詰め込んでいくよりも、復習するならば次の日のほうがいいのです。

「レミニセンス現象」という言葉が心理学にはあるのですが、一定時間の休憩や睡眠をとることで、脳内が整理され、記憶を呼び起こすための障害となる集中力の低下などを解消することができるのです。結果的に、記憶が定着したり、理解が深まったりします。

つまり、休憩や睡眠を通して一度脳内の疲れを落として、整理させる時間を持つことで、記憶の定着率が高まります。

モヤモヤ悩んでいたことが次の日の朝にはなぜかすっきりと整理できていたことや、難しく感じていたものが、次の日にはすらすらわかってしまったという経験をしたこともあると思いますが、それはまさにこのレミニセンス現象でしょう。

よほど記憶力がいいならば暗記も苦にはなりませんが、ほとんどの人が苦手意識を持っているものです。復習こそが確かな記憶と理解をもたらしてくれるので、自分を追い込みすぎず、考えすぎず、やってみることを大切にしたいですね。

47 すぐやる人は、忘れることが当たり前と知っていて、繰り返して身につける！

48 すぐやる人は定期的にアップデートし、やれない人は時の流れに不満を言う。

今私たちは変化の激しい時代を生きています。変化が激しいということは、今までと同じ考え方や同じやり方はすぐに通用しなくなるということです。

武器だと思っていたものの賞味期限はどんどん短くなり、武器ではなくなってしまう日が次々と訪れます。

私は学生と接する機会が多いのですが、かつてないほど英語力が高い学生が多いことに驚かされます。英語力の高い学生の多くは就職活動で英語力の高さを武器だとアピールしようとし、TOEICなどの試験のスコアをもっと伸ばそうとします。

しかし、今企業がグローバル人材に求めているのは「海外との社会・文化、価値観の差に興味・関心を持ち、柔軟に対応する姿勢」、「既成概念に捉われず、チャレンジ精神を持ち続ける姿勢」、そして「語学力」なのです（経団連「グローバル人材の育成・活用に向けて求められる取り組みに関するアンケート」より）。

以前ほど英語力の高さをアピールしても効果はなくなっているのです。だからと言って英語力を磨かなくていいという意味ではないですが、ＴＯＥＩＣで８００点以上取れているならば、それ以外の分野を磨く体験に時間を割きたいところなのです。

つまり、今、優れた知識や情報、技能を持っていたとしても、それはあっという間に時代遅れになるということです。

ましてや、よりスキルの高い人はもちろん、人工知能などのイノベーションも著しい現代では、スキルというものは、他の「誰か」や「何か」によって代替されるリスクが常に潜んでいるわけです。

ケンブリッジ大学の大先輩でもあるチャールズ・ダーウィンは、「この世に生き残る生き物は、最も力の強いものか。そうではない。最も頭のいいものか。そうでもない。それは、変化に対応できる生き物だ」という考えを示したと言われています。

毎日見ている景色は氷山の一角でしかなくて、私たちの目が届かない水面下でたくさんのことが進行していきます。だから常に、非常識を自分の中に取り入れる準備をしておかなければなりません。これまでの常識に捉われていては時代に置いていかれます。
だから、「すぐやる人」は常に自分をアップデートすることを怠りません。**自分の中の常識を捨て、新しい非常識を取り入れていく**のです。

一方で「やれない人」は現状に満足してしまって、現状の自分に固執してしまいます。そして変化する社会を嘆きます。

「すぐやる人」は自分を常にアップデートするために、まず一次情報に触れることにこだわります。フットワークを軽くして自分が体験するということです。流行りのものは敬遠せずとりあえず試してみて、なぜ流行っているのかを考えてみます。

そして、人に会って、人はどのようなことを日々感じ、考えているのか、どのようなことに喜びを感じ、どのようなことに不満を抱えているのかを知ります。

私は様々な年代や職種の人たちと交流することを楽しんでいます。異業種の人はもちろんのこと、学生や親の年代以上の人とまでコミュニケーションをすることに積極的です。

もちろんいつもの仲間や友人と話しているときよりも伝え方に工夫が必要だったり、話をすんなりと理解できないことがあります。考え方が大きく異なることもあるでしょう。

しかし、「最近の若者は……」と、その違いを否定していては何も学ぶことができません。

なぜそうなるのか、どういう背景がそこにはあるのか、に考えを巡らせてみるのです。

すると、自分にとっての当たり前は、あくまでも自分のものでしかなくて、**それぞれ違った当たり前を持っていることに気づくことで新しいアイデアが湧いてきます。**

自分にとっての正論を押しつけても何も生み出さないし、時代の変化をつかむためには常に自分をアップデートすることを心がけていかなければならないのです。

常にアップデートすることで、新しい価値を社会に提供することができ、人の役に立てていると感じることは、心の安定と自信を与えてくれます。学ぶことは本来楽しいものですが、学んだことが人の役に立つということはさらに幸せなことなのです。

だから、「すぐやる人」は絶えず学び、自分をアップデートすることで、周りに貢献し、それによって生きる喜びを感じているのです。

48

すぐやる人は、常識にとらわれず、非常識も取り入れようとする！

49 すぐやる人は枠外へどんどん飛び出し、やれない人はムダを嫌う。

2005年6月12日、スタンフォード大学卒業式。アップルの創業者故スティーブ・ジョブスが、卒業生にスピーチを送りました。皆さんの中にも、このスピーチを見たことがある人は多いのではないでしょうか？

様々なエピソードが出てきますが、中でも印象的なのは、ジョブズが大学を中退して何をしたかという話です。

ジョブスは大学に入学したものの、大学とは親が数十年かかって貯めた金額以上の価値のあるものなのかと疑問を持ち、自問自答を始め、ついには退学を決意しました。大学を中退して自分の好きな書道を学び始めたのです。

「そんなものを学んで何に繋がるの？」「無駄なことに取り組んでいる時間なんてないよ」といった声が聞こえてきそうです。

しかし結果として、ジョブズが書道を学んだことがアップルの美しいフォントを生み出すことに繋がったのです。

「過去を振り返ったときにその経験したドットを繋ぐとあなたの人生が作られる」

「コネクティングドット」という言葉で知られていますが、何気ない点と点が繋がる瞬間があります。

私が海外に飛び出した理由のひとつも、ここにあったような気がします。

大学3年生のとき、周りからは就職活動という言葉が頻繁に飛び交うようになっていました。そのときふと疑問に感じたのが、大学を卒業したら就職しなければいけないのか、といったものでした。

どういうわけか、中学校を卒業したら、高校に進学して、そしていい大学に入学をして、いい会社に入れば生活が安定するといった風潮があって、本当にそれしか選択肢はないのかと感じたのです。

自分のやりたいことではなくて、そういうものだからといった、どこか他人任せのように感じてしまったわけです。だから海外に飛び出してみて、世界とは本当にそういうものなのかを確認してみたくなったのです。

ケンブリッジへ留学して良かったことは、多様なバックグラウンドとそこから生まれる異なる価値観や考え方を持ったクラスメイトと出会い、かつ幅広い意見交換ができたことです。

年齢層もバラバラです。日本とは大きく違って、学びたい人が集まってくるところが大学。年齢も国籍も何も関係ありません。授業外にランチや食事にも積極的に出かけ、彼らがどのようなことを考え、どういう未来を描いているのかを聞いた瞬間に世界の広さを知りました。

違うことは、素晴らしいことなのです。だから今でも最低でも週1回は必ず、様々な人と会う時間を確保しています。

異なる業界で働く人や、異なる関心を持っている人、異なる環境で育った人と、年齢やバックグラウンドの垣根を越えて積極的に話をしてみると、思わぬ発見があったり、新たな興味が芽生えたりすることもあるでしょう。日頃、凝り固まった価値観を壊し、ワクワク心が躍るようなものに出会ったら、あなたは気づかぬうちに「すぐやる人」になっていることと思います。

目の前の仕事が忙しくなるとついつい没頭しがちですが、どれほど忙しくても必ず定期的に時間を確保してみてはどうでしょうか？

人は人から大きな影響を受けます。特に、日本人は平均や偏差値といった他人と比べる教育環境で育ってきていることから、他人と自分との差を比べる習慣がついています。

それほど他人に対して敏感であるセンサーなら、それを自分の成長のために活用しましょう。

「やれない人」はムダのように感じるものを徹底的に嫌いますが、それでは点は生まれません。点と点を繋げて線にするためには、まず点を作っていかなければなりません。そのためのひとつの方法が様々な生き方に触れることだと思うのです。

49 すぐやる人は、異文化にも積極的に飛び込むことができる！

50
すぐやる人は非常識に考え、やれない人は常識に縛られる。

『Stay hungry, stay foolish.』

あまりにも有名な言葉ではありますが、これはスティーブ・ジョブズが2005年6月、スタンフォード大学の卒業式辞で語ったスピーチの締めくくりの言葉です。

「Stay hungry」は、現状に満足して歩みを止めることなく、よりよい未来を渇望し、貪欲でいろ、ということ。

そして、「Stay foolish」は、常識に捉われることなくバカでいろ、ということなのですが、それは自分の心に素直に、そして探究心を失うな、ということだと思います。

「すぐやる人」は探究心という内から湧いてくる行動基準を大切にしています。常識に捉われません。そういう意味では非常識なのかもしれません。

もちろん、人としての礼儀やマナーは大切にしますが、発想が非常識でも、それは無限の可能性を否定しません。

「やれない人」は常識に捉われすぎてしまって、「やってはいけない」という制約でがんじがらめになってしまいがちです。常識という言葉は非常に便利なもので、「それが常識だから」というひと言でたくさんのものが片付いてしまいます。人は拠り所を求める傾向があるので、常識という拠り所に依存します。

しかし、一方で、本質から目をそらしてしまっているわけです。

ケンブリッジ大学大学院に入学すると、研究をより良いものにするために、クリティカルシンキングの授業が徹底されていました。

つまり、様々な題材を使いながら主観や常識に捉われないように訓練されます。常識を疑うことは、自分の見ている景色、考え方や行動をいつもクリティカルな視点から捉えることです。「本当にそうなのか」を考えるということでした。

以前、オックスフォード大学の副総長で、行動脳科学を研究されているニック・ローリンズ教授と大阪で食事をご一緒させていただく機会がありました。

オックスフォード大学には、天井から花を逆さに吊るしてあるところがあります。それは、「常識に捉われることなく、自由に考えよう」という、学生へのメッセージだそうです。

そして、ローリンズ教授は fascination という言葉を何度も繰り返されていたのですが、それはつまり、「夢中になれるものを持っているか」ということこそが行動力の源泉であるということでした。


当たり前だとか、常識だとかといった、何となく決められたルールに沿って生きるのではなく、あなたが本当にしたいことをするためにはどうすればいいかを、ゼロベースで考えてみようということなのです。


子供の頃、無邪気にはしゃいだはずです。

しかし、「おとなしくしなさい。いつまでも子供じゃないんだから」と先生や親から言われ続けた結果、「はしゃいだりするのは子供のすることだ」と思い込んでしまって、常識や世間体を気にするようになったという人も少なからずいるはずです。

歴史は「現在の非常識」が「未来の常識」になってきたことの積み重ねでしょう。ましてや、これだけ時代の変化が早く、次から次へと新しいものが生まれてくるということが、それを証明しています。

そして「すぐやる人」たちはワクワクする心を失わず、それを実現するために必要なことの本質を考える習慣を身につけているのです。

「どんな洗練された大人の中にも、外に出たくてしょうがない小さな子供がいる」と言ったのはウォルト・ディズニーです。あなたの中にも小さな子供が眠っているはずです。

もちろん、その小さな子供をいきなり全開することは難しいかもしれませんが、いつもの自分の考え方、周りの考え方を「本当にそうなのかな」と考えてみる習慣をつけてみたいものです。

50 すぐやる人は、ワクワクすることを行動の軸としている！

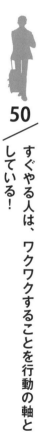

おわりに

「過去も未来も存在せず、あるのは現在という瞬間だけだ」

と言ったのは、あのトルストイです。

まず、現在というあなたの貴重な瞬間を、本書のために使っていただいたことに感謝いたします。それと同時に、おそらくあなたは「すぐやる」習慣について知り、身につけることの必要性に気づかれているからこそ、本書を読んでいただいたのだと思います。

「すぐやる」ということは、結局は時間と行動の関係性の話です。

「人や状況に追われて過ごしている時間」ではなく、「自分の意思で動いている時間」を増やしていくことこそが、人生を充実させるためには不可欠です。それはまさに「時間を制するものは、人生を制す」なのです。

そのための最強メソッドが「すぐやる」ことです。それは、とてもシンプルだけど難しいことです。

なぜなら、私もかつては「明日がある」という思い込みによって先延ばしを繰り返していたからです。そのときには「今度」や「そのうち」という言葉が口癖のようになっていたのです。

そして、結局は何もやらない自分に自信をなくしてしまっていました。

自信を取り戻すことは考えることではありませんでした。待つことでもありませんでした。

「今、自分にできることに集中すること」、これ以外に方法はありません。

冒頭で、「すぐやる」公式は、意志×環境×感情、であるとお伝えしました。

中でも、意志力をいきなり明日から2倍にすることは難しいですよね。

しかし、それぞれを今よりも少し改善してみましょう。20％頑張って、1を1・2にすれば、1・2×1・2×1・2＝1・78になります。約2倍の行動力を手にすることができます。

行動力というのは、行動によってより向上するものです。スパイラル状にぐるぐると大きな円を描いて、どんどんその円は大きくなっていきます。

そして、時間や行動をコントロールできている感覚がより強い意志力を私たちに与えてくれ、気持ちも乗ってくるものなのです。

さて、最後に質問をさせてください。

「あなたは本書を読むだけで終わりますか？　それとも本書を閉じた瞬間から何かを始めますか？」

その違いこそが「すぐやる人」と「やれない人」の51番目の習慣の違いなのかもしれません。

ぜひ、まずひとつ、どれでもかまいません。

今日よりも輝く明日を手に入れるために、今、この瞬間にできることは何でしょうか。

その小さな小さな一歩が、やがて大きな変化をあなたの人生にもたらしてくれるに違いありません。

あなたのこれからが今以上に充実したものになることを心から願っております。

塚本　亮

■著者略歴

塚本　亮（つかもと　りょう）

1984年、京都生まれ。同志社大学卒業後、ケンブリッジ大学大学院修士課程修了（専攻は心理学）。

偏差値30台、退学寸前の問題児から一念発起して、同志社大学経済学部に現役合格。その後ケンブリッジ大学で心理学を学び、帰国後、京都にてグローバルリーダー育成を専門とした「ジーエルアカデミア」を設立。

心理学に基づいた指導法が注目され、国内外から指導依頼が殺到。学生から社会人までのべ150人以上の日本人をケンブリッジ大学、ロンドン大学をはじめとする海外のトップ大学・大学院に合格させている。また、通訳及び翻訳家としても活躍している。

著書に『偏差値30でもケンブリッジ卒の人生を変える勉強』（あさ出版）、『努力が勝手に続いてしまう。』（ダイヤモンド社）、『英語、これでダメならやめちゃいな。』（かんき出版）、『99％の人がしている悪い習慣を捨て、たった１％の成功者になれる本』（明日香出版社）などがある。

本書の内容に関するお問い合わせ
明日香出版社　編集部
☎(03) 5395-7651

「すぐやる人《ひと》」と「やれない人《ひと》」の習慣《しゅうかん》

2017年　1月　21日　初版発行
2018年　5月　28日　第145刷発行

著者　塚《つか》本《もと》　亮《りょう》
発行者　石野栄一

明日香出版社

〒112-0005 東京都文京区水道 2-11-5
電話 (03) 5395-7650（代表）
(03) 5395-7654（FAX）
郵便振替 00150-6-183481
http://www.asuka-g.co.jp

■スタッフ■　編集　小林勝／久松圭祐／古川創一／藤田知子／田中裕也／生内志穂
営業　渡辺久夫／浜田充弘／奥本達哉／野口優／横尾一樹／関山美保子／藤本さやか　財務　早川朋子

印刷　株式会社文昇堂
製本　根本製本株式会社
ISBN 978-4-7569-1876-5 C0036

「運が良くなる人」と「運が悪くなる人」の習慣

横山　信治

「あいつは運がいい」という話になりやすいが、実は「運」はどんな人にも平等に与えられている。
要は、めぐってきたチャンスをモノにできる人、運を引き寄せやすい状態にしている人が、「運がいい人」になれるのです。
本書は、運がいい人の言動と、運が悪い人の言動を比較することにより、どんなことをすれば運がよくなるかを学べます。

本体価格 1400 円＋税　Ｂ６並製　232 ページ
ISBN978-4-7569-1869-7　2016/12 発行

会社に「残れる人」と「捨てられる人」の習慣

海老　一宏

大企業病や他力本願的成り行き任せの意識では「戦力外通告」は避けられません。
これからどんな人材が必要とされ、個人はどんな意識が必要かをわかりやすくアドバイス！
分かっていそうで、見過ごされがちなことをまとめてあります。

本体価格 1400 円＋税　Ｂ６並製　240 ページ
ISBN978-4-7569-1863-5　2016/10 発行

「できる上司」と「ダメ上司」の習慣

室井　俊男

できる上司とできない上司の習慣の違いを50項目でまとめた。
目標達成、部下育成、コミュニケーションなど、上司が持っていなければならないスキルについて解説。

本体価格 1500円＋税　B6並製　240ページ
ISBN978-4-7569-1608-2　2013/02発行

「稼げる営業マン」と「ダメ営業マン」の習慣

菊原　智明

根本的な能力はあまり変わらないはずなのに、なぜか自分は成績を上げることができない。
そんなビジネスパーソンに、できる営業マンの習慣とできない営業マンの習慣を対比することによって、気づきとテクニックを与える。

本体価格 1400円＋税　B6並製　240ページ
ISBN978-4-7569-1519-1　2012/01発行

「仕事が速い人」と「仕事が遅い人」の習慣

山本　憲明

同じ仕事をやらせても、速い人と遅い人がいる。その原因はいろいろだ。
仕事の速い人、遅い人の習慣を比較することで、どんなことが自分に足りないのか、どんなことをすればいいのかを、著者の体験談とともに50項目で紹介する。

本体価格 1400 円＋税　B 6 並製　240 ページ
ISBN978-4-7569-1649-5　2013/10 発行

目標を
「達成する人」と「達成しない人」の習慣

嶋津　良智

意識が高く努力すれど、その努力が報われない・・・。
そんな人はもしかしたら、目標達成の手順を踏んでいないかもしれない。
ダメサラリーマンから上場企業の社長になった著者自身の経験を交え、「目標設定」「実行力のつけ方」「タイムマネジメント」「人の巻き込み方」などを紹介。

本体価格 1400 円＋税　B 6 並製　240 ページ
ISBN978-4-7569-1669-3　2014/01 発行

Goal: 誰でも出来る「AI/IoT × 農業」で、美味しく栄養価ある食べ物をみんなが安く手に入れる。

(incl. poor in low income nations)

1. Robotics → workload
2. AI → Choose what to grow
IoT → Know how to grow
3. ~~Envr~~ → ~~IoT~~ control the envn
→ assess the market
4. AI × IoT → Troubleshoot

Vertical farms of various scales

(AI for cost-reduction International)

Agri

営業

事業企画

PM experience × certificate

Tech knowledge (Python?)

(qualitative)
Market assessment experience
Strength: IPE assessment expert
opportunity: Quantitative market analysis → can do both!

consultants (strategy) ~~Same~~ learned about nutrition

developers

Strength: Coordinated various sectors & depts to run projects

finance
opportunity: slight adjustment (money × tech knowledge) ⇒ possible in private sector envn.

marketing
strength: Strong nego & English skills

sales
opportunity: actual sales = super sales skills

architecture
nutrition edu to AEWs
↳ cut down cost of travels (nut expert must go teach = NO) → marketing to ~~Sunday~~ community impact high

partnerships (PPP)
Strength: knowledge & connection with the development sector

Prob: No nut sensitization. No marketing impact

細かい知識はないが、効率化を図る能力と Result:
マインドは持ってる ~~Der~~ Sold 12,000 units to 1,032 farmers.

Changed mindset that experts must go ← Sol 1: Nut experts go sensitize
↳ Too expensive

Sol 2: Sensitize AEW remotely

・人格で関係ないことでその人の価値を決めるな、差別だ。

・〃　　　　捨てれる愛情なら愛情でない。

そんな生き方をしていては誰でも幸せになれないし、そんな生き恥をさらしたくない。誇りを持って生きられる…言い訳をして家を捨てる。

・障害があるだけで幸せになる権利がうばわれる世界があってはならない。「わざわざあんたじゃなくても？」他人まかせに全員がすれば何も変わらない。

・あなたにとっての「考えてる」の意味は、「別れる」ことだと決まっているから、どれだけ考えて「繋がる」と決めても、あなたにとっては「考えていない」ことになる。

・子どもを生むかどうかは最終的には夫婦で決める。家族には支えてもらいたい。そう切に願う。けど、どうしても無理だと言うなら、それは「産まない」となるのではなく、あくまで夫婦は育てると決めたなら、育てるのが親の当前の責任。でもそのような家にしたくない。だから、心からお願いする。どうか夫婦が産むと決めた時には、苦労はかけるかもしれないけど、支えてほしい。